Para o dia nascer feliz

Para o dia nascer feliz

Copyright by © Petit Editora e Distribuidora Ltda. 2003-2025
17-02-25-250-56.350

Coordenação editorial: **Ronaldo A. Sperdutti**
Capa (criação): **Flávio Machado**
Foto da capa: **Marcelo Kura**
Projeto gráfico e editoração: **Ricardo Brito / Designdolivro.com**
Revisão: **Maria Aiko Nishijima**
Impressão: **Renovagraf**

**Ficha catalográfica elaborada por
Lucilene Bernardes Longo – CRB-8/2082**

Lucca, José Carlos De.
 Para o dia nascer feliz / José Carlos De Lucca. – São Paulo : Petit, 2003.
 ISBN 978-85-7253-109-2

 1. Auto-ajuda 2. Mensagens 3. Espiritismo 4. Sugestões I. Título.

CDD: 133.9

Direitos autorais reservados.
É proibida a reprodução total ou parcial, de qualquer forma
ou por qualquer meio, salvo com autorização da Editora.
(Lei nº 9.610, de 19 de fevereiro de 1998.)
Traduções somente com autorização por escrito da Editora.
Impresso no Brasil

Prezado leitor(a),
Caso encontre neste livro alguma parte que acredita que vai interessar ou mesmo ajudar outras pessoas e decida distribuí-la por meio da internet ou outro meio, nunca deixe de mencionar a fonte, pois assim estará preservando os direitos do autor e consequentemente contribuindo para uma ótima divulgação do livro.

José Carlos De Lucca

Para o dia nascer feliz

Av. Porto Ferreira, 1031 – Parque Iracema
CEP 15809-020 – Catanduva-SP
17 3531.4444

www.petit.com.br | petit@petit.com.br
www.boanova.net | boanova@boanova.net

Livros do autor José Carlos De Lucca:
- *Sem medo de ser feliz*
- *Justiça além da vida*
- *Para o dia nascer feliz*
- *Com os olhos do coração*
- *Olho mágico*
- *Atitudes para vencer*
- *Força espiritual*
- *Vale a pena amar*

O autor cedeu os direitos autorais
deste livro à Rede Boa Nova
de Rádio e Televisão, emissora
da Fundação Espírita André Luiz.

Agradecimentos

Quero expressar minha gratidão ao Espírito Joanna de Ângelis e ao médium Divaldo Pereira Franco pelo incentivo que deles tenho recebido.

Sou profundamente grato ao casal Margarete Ângelo Nunes e Sérgio Luís Vasques Nunes pelos agradáveis momentos que passamos revisando este livro.

Desejo externar o meu agradecimento ao magistrado e amigo Luis Fernando Nardelli, não só pelas muitas horas que dedicou aos originais desta obra, como também pelas aulas de lingüística recebidas durante as nossas frugais refeições do meio-dia.

Não poderia deixar de render a minha eterna gratidão à esposa Cristina e aos filhos Tarcísio e Thales, companheiros de todas as horas. Sem o apoio deles este livro não teria nascido.

Prefácio

Para o dia nascer feliz

Todo amanhecer tem um significado especial na glória da Criação.

Superada a sombra da noite que convida ao estabelecimento de planos em favor da construção do bem e da plenitude, o nascer do dia representa a oportunidade de torná-los reais, retirando-os da mente para a sua concretização no mundo das formas.

A fim de que se torne possível cada dia nascer feliz, é indispensável que a criatura elabore programas de edificação interior, liberando-se das algemas que a retém na retaguarda das aflições e dos receios, facultando-se conquistar valores indestrutíveis, espirituais, que os ladrões não roubam, a traça não come, nem a ferrugem corrói, conforme acentuou Jesus.

A existência física é dádiva do amor de Deus para o desenvolvimento intelecto-moral do espírito no seu processo de evolução.

Aproveitar cada momento, assinalando-o com realizações abençoadas, é o impositivo que não deve ser postergado.

A felicidade existe, e é possível consegui-la, bastando somente não ambicionar além da capacidade de vivenciá-la, cada qual contentando-se com as maravilhosas concessões divinas de que se torna possuidor, e avançar semeando amor pelo caminho.

* * *

O delicado livro que estamos apresentando é um relicário com preciosas gemas que reluzem ante a claridade do Evangelho de Jesus.

Cada página contém um tesouro que, devidamente assimilado, transforma-se em felicidade.

Esperando que o caro leitor sinta-se enriquecido com as lições aqui apresentadas, confiamos que, a partir de então, ser-lhe-á possível tornar feliz o nascer de cada um dos seus dias*.

Joanna de Ângelis
Salvador, 5 de setembro de 2003.

---

* Mensagem psicografada pelo médium Divaldo P. Franco em sessão mediúnica do Centro Espírita Caminho da Redenção, Salvador, Bahia (Nota do Autor).

Palavras iniciais

Entrego ao leitor mais um singelo livro. Depois da boa aceitação dos meus dois primeiros trabalhos*, fiquei animado em prosseguir. O conteúdo deste livro foi extraído do programa que apresento na Rádio Boa Nova**, mais precisamente o quadro *Desperte e seja feliz*, que vai ao ar de segunda a sexta-feira, às 7h45. Diversos ouvintes me solicitavam o texto das mensagens apresentadas. Daí surgiu a idéia de transformar o conteúdo do programa em um livro. Fiz as adaptações necessárias à linguagem escrita e agora entrego ao público o resultado do trabalho.

Em quase todos os capítulos, o leitor encontrará palavras de orientação do amorável Espírito Joanna de Ângelis, todas ditadas ao médium Divaldo Pereira Franco. Para evitar repetições cansativas quanto à autoria dessas mensagens, inserimos o pensamento da Benfeitora em letras no tipo itálico. Assim todas as vezes que o leitor deparar com esse estilo de letra, saberá que se trata do pensamento de Joanna de Ângelis. No fim do livro, você encontrará a relação das obras consultadas.

---

* Os livros *Sem medo de ser feliz* e *Justiça além da vida*. São Paulo: Petit Editora (N.A.).
** Emissora da Fundação Espírita André Luiz. Sintonize: AM 1450 – Grande São Paulo; AM 1080 – Sorocaba-SP e região, ou pela internet no site www.radioboanova.com.br (N.A.).

O propósito desta obra é o de ser ferramenta de apoio para a felicidade em seu dia. Leia-o, de preferência, antes de iniciar suas atividades, logo ao acordar. Faça as afirmações positivas que se encontram ao término de cada capítulo, como se as idéias apresentadas já fizessem parte da sua vida. Visualize-se feliz, sadio, próspero, pois seremos transformados pela renovação da nossa mente. Nada impede, porém, que você faça a leitura e as afirmações a qualquer hora do dia, da forma como achar melhor. O importante é utilizar o livro para o dia nascer feliz.

De coração, desejo a você paz e alegria.

José Carlos De Lucca

Dia de felicidade

Acredite que você nasceu para ser feliz. Retire da mente as idéias que o levam a pensar em um destino de amarguras. *A tua felicidade é possível. Crê nesta realidade e trabalha com afinco para consegui-la*[1]*. A primeira atitude a tomar neste dia é crer que você pode ser feliz. Pare e pense no assunto, ainda que por alguns segundos, pois muita gente ainda pensa ter nascido só para sofrer. Retire da sua mente esse falso conceito, ele não corresponde à verdade. Aliás, é possível que essa falsa idéia esteja dificultando sua vida, pois somos aquilo que pensamos ser.

Antigamente se dizia que era preciso ver para crer. Mas hoje se diz ser preciso crer para ver. Há uma diferença fundamental. Aquele que crê já deu o primeiro passo ao encontro da

---

* Consultar as referências bibliográficas no fim do livro (N.A.).

felicidade. Nossas crenças materializam nosso destino. Um dia feliz começa com a mente feliz, com pensamentos positivos. Por isso, vá mudando os pensamentos que alimenta em relação ao seu destino. Faça uma faxina mental e retire as idéias de fracasso, insucesso, doenças e de tantas outras que apenas embaraçam a vida. A sua felicidade é possível, é real. Você merece ser feliz, é digno do melhor que existe no Universo. Você não nasceu para sofrer, mas para um destino de alegria e ventura. É importante acreditar nisso. Se depositar sua crença na dor, na desgraça, no sofrimento, jamais a felicidade baterá à sua porta. Os problemas não são castigos divinos, são apenas degraus que Deus pôs em seu caminho para que você subisse ao topo da vitória. Como Deus é Amor, Ele só deseja o seu bem.

Mas não assente a felicidade nas coisas, que são passageiras, nem nas pessoas que também passam. Procure ser feliz, realizando-se interiormente. A felicidade é um estado íntimo, que independe das suas posses, do seu poder, do seu prestígio social. Ela decorre do bem-estar que uma vida digna proporciona. Quando você é feliz por dentro, tudo lá fora reflete seu estado interior. Quando a alma está feliz, a prosperidade cresce, a saúde melhora, as amizades aumentam, enfim, o mundo fica de bem com você. O mundo exterior reflete o universo interior.

Não se esqueça, também, de que a felicidade não virá sem esforço. Você já pensou no que fará por sua felicidade? Já planejou suas atitudes? Já idealizou suas metas? Que bom se já fez isso. Mas se ainda não fez, sempre é tempo de trabalhar por você. Dedique alguns minutos do seu dia para planejar sua vida, estabelecer os seus objetivos. Agora procure executá-los, passo a passo. Seja uma pessoa perseverante, pois na vida o destino é traçado com as nossas atitudes. Não desanime. Os grandes gênios da humanidade foram indivíduos laboriosos; seus feitos, normalmente, demandaram 1% de inspiração e 99% de transpiração. Crendo na felicidade e trabalhando por ela, você certamente terá um dia de muitas alegrias. Mãos à obra?

Eu mereço a felicidade.
O Universo me dá tudo o que é bom.
Eu trabalho pela minha felicidade pensando bem,
falando bem, agindo bem.

Dia cheio

Preencha a vida com atitudes positivas. Tudo está à sua disposição, tanto o bem quanto o mal. Por isso, cuidado com a hora vazia, ou seja, com a hora sem atividade; atenção para os momentos de ociosidade, pois são nesses instantes que nos permitimos entrar na faixa do tédio e da tristeza. É na hora vazia que surgem os pensamentos sombrios, que depois levaremos tempo para extirpá-los de nós. Cabeça ociosa é perigo à vista. Nessas horas, os pensamentos desordenados podem nos levar a sentimentos de tristeza e depressão, como também aumentar nossas mágoas e rancores. Muitos crimes são concebidos em minutos de mente desocupada. Podemos dizer que a mente vazia é porta aberta à ação das trevas, é campo propício à fermentação de idéias negativas que acabarão por tecer o fio do nosso destino. Você já reparou que a água empoçada favorece o desenvolvimento de vermes e bactérias? Já notou que um corpo físico sem atividade fica mais vulnerável às doenças?

Se você aspira a felicidade, procure ocupar-se com alguma atividade nobre. *Se, por alguma circunstância, surge-te a hora vazia, preenche-a com uma leitura salutar, ou uma conversação positiva, ou um trabalho que aguarda oportunidade para execução, ou uma ação que proporcione prazer²*. Ouça uma bela música, assista a um bom filme, faça um trabalho manual da sua preferência, visite uma exposição de pintura, freqüente bibliotecas, leia um bom livro. Aconchegue-se junto à natureza, passeie no parque, admire um jardim. Aliste-se como voluntário em entidades assistenciais. Faça um curso na área de seu interesse ou então dance, cante, represente, estude, enfim, movimente-se. Há várias oportunidades para que suas horas sejam enriquecidas de beleza, estudo e trabalho. Você tem direito ao lazer, mas lembre-se de que cabeça desocupada é ninho das trevas.

Ao final de cada dia, pergunte-se: como ocupei as minhas horas? Aprendi algo de novo? Fiz algo de bom? Recorde-se de que o tempo perdido jamais será recuperado; o minuto que passou, nunca mais o terá. Preenchendo o dia com atividades superiores, nossa vida estará em sintonia com uma lei espiritual conhecida como *Lei do Trabalho**. Repare que tudo no Universo está em movimento, nem mesmo o planeta está imóvel. Jesus chegou a dizer que

---

* Ver *O Livro dos Espíritos*, de Allan Kardec, São Paulo: Petit Editora, parte terceira, importante estudo sobre as Leis Morais (N.A.).

Deus trabalha até hoje, incansavelmente. Olhe, a cada novo dia, dezenas de oportunidades esperam pela sua decisão de ser uma pessoa ativa, interessada, participativa e receptiva a novos conhecimentos e possibilidades. Você já deu o primeiro passo ao ler este capítulo. Continue, perseverante; hora vazia, nunca mais.

Meu dia está repleto de novas oportunidades positivas.
Aproveito as horas e os minutos para meu
crescimento material e espiritual.
Sou uma pessoa receptiva a novos conhecimentos.

Dia de gratidão

Desperte todos os dias com pensamentos positivos e repita várias vezes que tudo será bom. Outro dia eu estava orando e, ao final da prece, meu filho de sete anos se aproximou e disse: "Pai, muito obrigado por você existir". Essas inesperadas palavras me arrancaram algumas lágrimas. Eu estava um tanto triste com alguns problemas pessoais, e o simples gesto de carinho dele me devolveu a alegria perdida. Fiquei pensando no poder que as palavras de meu filho tiveram sobre mim e me dei conta que ele simplesmente me agradecia. Foi então que percebi o poder que tem a gratidão. Você já pensou nisso? Esse é um assunto que merece nossa maior atenção. *Se a criatura humana considerasse todas as bênçãos de que desfruta no corpo, as concessões que lhe são coloca-*

*das à disposição, ela somente teria razões para agradecer, jamais para reclamar*³.

Na maioria das vezes, a nossa atitude é a de reclamar pelo que não temos. Todavia, quase nunca lembramos as bênçãos de que somos portadores. Por isso reclamamos muito e agradecemos tão pouco. Lamentamos o estômago doente, mas não agradecemos pelos demais órgãos que funcionam perfeitamente. Reclamamos do trânsito caótico, mas esquecemos de agradecer pelo veículo que nos transporta a todos os lugares. Discutimos com nossos familiares, todavia não nos lembramos que muitos não têm nem sequer uma pessoa para dividir sua vida nem por isso são menos felizes do que nós. Recordamos, com insistência, a ofensa de um amigo, contudo não agradecemos pelos outros que continuam nutrindo afeição por nós.

Procure fazer um inventário da sua vida. É quase certo que a contabilidade divina nos honrou com mais benefícios do que problemas. Ocorre que fixamos a nossa atenção naquilo que nos falta. É preciso mudar o foco. Pense sobre isso. Quanto mais você agradecer, do fundo do seu coração, por tudo o que lhe ocorre na vida, pelas pessoas que o cercam e pelas situações que se apresentam, mais você será abençoado pelas forças espirituais. Alguém disse que a vida é um sistema de radiodifusão, cada um recebe de acordo com a onda que emite. Se você adotar uma postura de vida baseada na gratidão, pode ter a certeza de que o Universo retribuirá com a abundância que lhe é própria. Mas se você se fixar na queixa, na reclamação, no que lhe falta, o Universo responderá na mesma freqüência. Disse Jesus: "Para aquele que tem, mais lhe será dado; para aquele que não tem, mais lhe será tirado". Concentre-se no que você tem, e não no que lhe falta. Quanto mais agradecer, do fundo da sua alma, mais receberá; quanto mais reclamar, menos terá. É a lei. E se você estiver doente, agradeça a Deus pela saúde. Se estiver sem trabalho, agradeça pelo emprego. Demonstrar gratidão por algo que está por vir é a maior demonstração de fé que uma pessoa pode ter.

Agradeço a Deus por tudo o que tenho.
Sou profundamente grato pela vida,
pelo corpo, pela família, pelo trabalho.
Agradeço por todas as pessoas que cruzam o meu caminho.

Dia de recomeçar

Estou feliz por estar em sua companhia, torcendo por você. Quero refletir sobre o quanto é importante não abandonar os sonhos. Quando o dia começa, é comum nos sentirmos desanimados com os fracassos que temos experimentado. Os negócios não estão bons, a saúde não vai bem, a vida familiar anda de mal a pior, nossos sonhos naufragaram. E agora novo dia se apresenta e nos sentimos fracos para dar uma guinada em nossa vida. É preciso, no entanto, saber recomeçar. Repare que a natureza nos oferece preciosas lições sobre o assunto. A água um dia se torna vapor, mas depois regressa da nuvem e recomeça o ciclo. O sol, diariamente, retoma o contato com a terra. Janeiro a janeiro, renova-se o ano, oferecendo-nos novas oportunidades de trabalho. É como se a natureza nos estivesse convidando:

"Se quiser, pode recomeçar". É importante considerar a oportunidade de reconstruir sua vida. Todo o dia é ensejo de um recomeço.

Esqueça os malogros, não os vitalizando com lembranças e queixas constantes. Apenas aprenda com os erros cometidos. Thomas Edison, um dos mais versáteis inventores que o mundo conheceu, afirmou que cada experiência negativa era mais uma descoberta de como não chegar ao invento desejado. E foi assim, depois de várias tentativas, que ele inventou a lâmpada elétrica. Portanto, as experiências negativas são apenas lições de como não atingir o sucesso esperado.

Não dê às suas derrotas maior importância do que elas têm. Você não fracassou, apenas ainda não descobriu a maneira correta de chegar ao resultado esperado. Daí a importância de recomeçar, sempre, pois do contrário você jamais chegará ao objetivo traçado. Se Thomas Edison tivesse desistido, se ele se julgasse um arruinado, hoje talvez ainda estivéssemos à luz de velas. Dê um novo significado aos seus insucessos, aprenda com os erros cometidos, mude de tática, refaça planos, estratégias e recomece o dia convicto de que é merecedor de novas oportunidades. O dia está à sua espera para que alcance os sonhos que tanto deseja. *Através de uma vontade disciplinada conseguirás atingir os objetivos máximos da tua atual existência. Não desistas, se, de início, fracassares*[4].

Eu sei que você é capaz, há um gigante dentro de você aguardando ser acordado. Espero que essa leitura seja como uma varinha mágica capaz de despertar toda sua potencialidade de vencer adversidades. Você é um vencedor, lembre-se de outros momentos difíceis por que passou e conseguiu superá-los com muita garra e determinação. Então, agora é a hora de você despertar outra vez. Vou deixá-lo com os versos de uma linda canção de Milton Nascimento: "Mas é preciso ter força, é preciso ter garra, é preciso ter gana sempre, quem traz no corpo essa marca possui a estranha mania de ter fé na vida".

Hoje é dia de recomeçar a minha vida.
Sou merecedor de novas oportunidades.
Sou uma pessoa perseverante e vitoriosa.

Dia de falar com Deus

Sua vida está caminhando para melhor, creia nisso. Você já pensou na importância da oração em sua vida? Eu creio que sim, embora nem todos têm a prece como hábito. Sempre estamos com pressa e quase nunca temos tempo para o encontro com Deus. Acordamos atrasados, saímos de casa como um furacão e iniciamos o dia sem nenhum preparo espiritual. O homem precisa de oração, tanto quanto necessita de alimento. Não somos apenas matéria, somos espíritos transitoriamente vestidos de um corpo. O alimento fortifica o físico; a oração revigora o espírito. A maioria de nós padece de anemia espiritual, porque pouca importância damos à oração. Por meio desse diálogo com Deus, porque oração não é outra coisa senão uma conversa com Deus, nosso espírito se abastece das energias cósmicas que se acham distribuídas em abundância no Universo. E da mesma forma que só se alimenta quem leva comida à boca, o homem somente recebe o alimento espiritual se abrir a alma para Deus através da prece.

Ainda há outro benefício que a oração proporciona: ela nos põe em sintonia com as correntes mentais superiores, junto das quais receberemos a inspiração divina para enfrentar as ocorrências do dia-a-dia. Teremos, assim, coragem, esperança e o fortalecimento espiritual para vencer as dificuldades do caminho. Por isso a Espiritualidade nos diz que a oração é um tônico espiritual. Na oração, falamos com Deus e Deus fala conosco. *A oração é o mais forte estímulo de que a alma pode dispor para plenificar-se*[5].

Quando queremos conversar com alguém, utilizamos algum meio para esse fim: um telefonema, uma carta, um recado, até pelo computador já conseguimos conversar. Assim, quando precisamos falar com Deus, a oração é o canal de contato direto com o Criador. Muita gente diz que não ora porque não sabe pronunciar palavras bonitas. Devemos entender que a oração não é um concurso de beleza literária. Deus não nos ouve pela beleza das palavras, mas pela qualidade do nosso sentimento. Orar é sentir. E nós sentimos com a alma, não com os lábios. Alguns estudiosos narram que São Benedito, homem de poucos recursos intelectuais, não sabia nem sequer escrever o próprio nome. Contudo, quando orava, ajoelhava-se próximo a um tronco de árvore e exclamava: "Pai, nego véio tá aqui". E era só isso que dizia, mas tinha tanta sinceridade e simplicidade que, com freqüência, os amigos o surpreendiam em estado de levitação. Nós até poderemos não chegar a tanto, mas perceberemos que a oração transformará nossa vida para melhor. A prece nos proporcionará equilíbrio interior, paz, serenidade e coragem para superarmos os obstáculos inevitáveis da vida. Isso só você poderá comprovar. Tenha a experiência da prece, comprove seus benefícios, converse com seu Pai; Ele tem muito a lhe dizer.

Converso com Deus em todos os momentos.
Estou ligado a Ele pelas ondas do meu pensamento.
Deus me ouve, me entende e me guarda.

Dia de paz

Vamos agradecer por mais uma nova oportunidade de progredir e ser feliz. Para tanto, a paz interior é indispensável. Um dia feliz começa com um dia de paz. E nunca como hoje a paz foi tão almejada. Vivemos tantos conflitos e concluímos que viver sem paz se torna um fardo muito pesado. Mas já estamos percebendo que a paz não virá por decreto do Governo, nem por imposição divina. *A paz não pode ser adquirida somente através da assinatura de documentos diplomáticos. Ela é uma conquista pessoal, nasce de dentro para fora*[6]. A Espiritualidade nos indica que a paz do mundo depende da nossa paz individual. O mundo exterior é apenas o reflexo do nosso mundo interior. O mundo violento é apenas o reflexo de homens violentos. Não adianta sonhar com um planeta de paz se os homens não forem pacíficos. A paz do mundo começa na paz do nosso coração, depende da nossa serenidade, da nossa paciência diante dos desafios que se apresentam em nosso cotidiano. Fazendo um trocadilho, poderíamos dizer que a paciência é a ciência da paz. E, por vezes, diante de pequenos contratempos, perdemos a tranqüilidade. Por exemplo: o transporte que perdemos, o alimento que atrasou, a roupa que não ficou pronta, a camisa malpassada, o carro quebrado e tantas outras situações através das quais demonstramos quão distantes estamos da paz.

Se queremos a paz entre as nações, precisamos começar a nos pacificar por dentro. Se queremos a paz lá fora, precisamos de paz dentro de nós. É sempre mais cômodo exigir a paz dos outros. E a nossa paz individual depende de uma consciência tranqüila ante os nossos deveres. Se agirmos com ética, justiça e amor, nossa consciência estará em paz. Mas quando somos agressivos, quando desrespeitamos o próximo, quando somos injustos, semeamos trevas interiores. E a partir disso teremos muitos conflitos, gerando intranqüilidade e desarmonia, como se houvesse uma guerra dentro de nós mesmos. E essa guerra interior se projetará para fora de nós, tornando-nos pessoas agressivas, violentas, azedas, provocadoras. Já deu para perceber que quando assim agimos atraímos mais violência em nossa vida. É a lei de afinidades. Agora, quando promovemos o bem, nossa consciência está em paz, porque somos essencialmente pessoas boas. E quando estamos em paz, seremos pacíficos no lar, no trabalho e na via pública. Seremos pacíficos no trânsito, onde muitos acidentes ocorrem por falta de paz dos motoristas. Enfim, é a nossa consciência que ditará um comportamento sereno ou agressivo. Quem não promove a paz é o primeiro a sofrer. Ninguém sentirá paz se não a promover.

Francisco de Assis, em sua conhecida oração, pedia a Deus que o convertesse em instrumento da paz. Vamos imitar Francisco e adotar a paz como modo de vida. Cabe-nos a pergunta: como posso neste dia pacificar a minha vida? Eu acredito que todos nós, doravante, vamos modificar as nossas atitudes para melhor. Verifiquemos quais são os comportamentos que estão gerando agressão, revolta, discussão e discórdia e invertamos nossas atitudes promovendo o bem. Veja o que fala, o que pensa e como age, e vamos deixar a paz invadir nosso coração.

Sou uma pessoa pacífica.
A paz toma conta da minha vida.
Tenho paz na mente e no coração.

Dia de pensar bem

Que alegria estarmos juntos neste novo encontro. Quero falar a respeito do pensamento. Você já imaginou que o pensamento é uma força poderosa? É isso mesmo, uma energia, por isso muitos se referem ao poder do pensamento. *O que se cultiva no pensamento transborda para a esfera objetiva, por isso o pensamento é fonte geradora e dínamo condutor da vida*[7]. Poderíamos dizer que o pensamento é um agente criador, ele molda o destino de acordo com a direção que lhe damos. *Se pensas no medo, ele assoma e te domina. Se dás atenção ao pessimismo, tornas-te incapaz de realizações ditosas. Se te preocupas com o mal, permanecerás cercado de temores e problemas. Se agasalhas as idéias enfermiças, perderás a dádiva da saúde*[8].

Seremos, portanto, prisioneiros dos nossos próprios pensamentos desequilibrados. Todavia se dermos uma direção superior à nossa mente, nossa vida também se verá refletida por essa mudança. Se pensar no amor, você se sentira afável. Se pensar na alegria, sentir-se-á alegre. Se pensar na paz, sentirá paz em seu interior. Se pensar na saúde, terá harmonia corporal. Tudo pode ser alterado sob a ação do pensamento. Por isso, se desejamos fazer mudanças em nossa vida, comecemos mudando os pensamentos. Examine, agora, seus pensamentos. São positivos? Saudáveis? Alegres? Ou são pensamentos de tristeza, enfermidade, raiva, desânimo e violência? Lembre-se de que o homem é aquilo que pensa.

Depois de fazer esse exame, procure substituir as idéias afligentes e perturbadoras. Aqui está uma ótima sugestão. Muitos dizem que não conseguem abandonar os pensamentos negativos. A sugestão não é a de você ficar mentalizando para não ter pensamentos ruins, mas sim a de você substituir os negativos pelos positivos. Se falar para não pensar em doença, a primeira coisa que você vai pensar é exatamente na enfermidade. Se eu disser: não pense em banana. Por certo a primeira coisa que você pensou foi banana. O processo ideal é o de substituição, por exemplo: se você tem pensamentos de medo, passe a cultivar idéias de coragem. Se você tem pensamentos de tristeza, substitua-os por pensamentos de alegria e otimismo. Se você tem idéia fixa de doença, passe a cultivar pensamentos de saúde e bem-estar. Não brigue com os pensamentos negativos, apenas os substitua por idéias superiores. Aos poucos, as idéias nobres ocuparão espaço em sua mente.

    E sejamos persistentes, pois há muitos anos, talvez séculos, estamos pensando erradamente. É assim que, a pouco e pouco, vamos melhorando os pensamentos e, portanto, a nossa própria vida. Já percebeu quanto trabalho temos a fazer? Que tal começar agora, fazendo as seguintes afirmações positivas:

Meu dia será muito bom.
Sou capaz de vencer todos os desafios.
Sou uma pessoa alegre, saudável e feliz.

Dia de saúde

Juntos iniciamos mais um momento de reflexão em nossa vida. Desejo conversar com você a respeito da saúde. Todos nós desejamos muito ter boa saúde, poder realizar todos os nossos projetos sem impedimentos físicos. Um dos votos que mais formulamos aos amigos é o de muita saúde. Mas, afinal de contas, o que é a saúde? Seria a ausência da enfermidade? Não é. Os estudiosos dizem que saúde é um estado completo de bem-estar físico, emocional e social. É claro que uma pessoa com distúrbios digestivos está enferma. Mas não apenas os distúrbios físicos registram a nossa debilidade. Se não tivermos também um bem-estar emocional, seremos catalogados pelos compêndios de medicina como doentes. Há vários distúrbios emocionais, como a depressão, a síndrome do pânico, as neuroses, os distúrbios compulsivos, a ansiedade, enfim, as chamadas enfermidades da alma. Mas a saúde também pressupõe um bem-estar social, ou seja, a perfeita integração do homem com o meio ambiente, e aí poderemos lembrar o quanto o homem vem degradando a natureza, destruindo as reservas florestais, poluindo rios e mares e, ainda, afetando a camada de ozônio, não sem sérios prejuízos à nossa saúde.

Com esse panorama, acredito que chegamos à conclusão de que todos nós estamos enfermos, não é mesmo? Sendo assim, para recuperar a saúde, é preciso zelar bem por nosso corpo, escolhendo os alimentos que vamos ingerir, cuidando da higiene corporal e evitando os vícios que tanto nos prejudicam. Observe, hoje, que alimentos entrarão no seu cardápio e lembre-se de que da quantidade e da qualidade deles depende a sua saúde.

Mas isso não basta. É preciso também ter saúde emocional, vale dizer, cuidar das emoções, afastar o medo, a ansiedade, a raiva, a tristeza, a culpa, pois esses sentimentos negativos, se persistentes, poderão nos levar a várias enfermidades. Pessoas que alimentam elevado e repetido grau de hostilidade, geralmente desenvolvem doenças cardiovasculares. Muitos distúrbios do aparelho digestivo têm origem na ansiedade constante, na raiva e no mau humor que não cessam. Por isso, vamos encontrar no Evangelho como terapia adequada para a cura de várias enfermidades, o perdão, a tolerância e o amor. Não queremos dizer que você pode dispensar o concurso da medicina, mas que não pode também desprezar a terapêutica evangélica, ingerindo, ao lado da medicação física, gotas de perdão, cápsulas de paciência e várias drágeas de amor. A *saúde não se restringe apenas à harmonia e ao funcionamento dos órgãos, possuindo maior extensão, que abrange a serenidade íntima, o equilíbrio emocional e as aspirações estéticas, artísticas, culturais e religiosas*[9]. Se você está doente, procure o médico de sua confiança, mas não deixe de procurar no Evangelho o remédio chamado amor, pois esse elixir poderá fazer milagres em sua vida.

Sou uma pessoa saudável.
Eu acredito na saúde.
Alimento-me com pensamentos de paz e alegria.

Dia de viver

Iniciamos mais um dia, agradecidos pela oportunidade de escrever mais uma página no livro da nossa vida. Pretendo refletir com você a respeito do quanto temos desperdiçado a nossa vida. No ano de 1999, minha mãe desencarnou e esse fato me fez pensar no que estava fazendo da vida. Concluí, não sem um certo arrependimento, que não tinha aproveitado suficientemente o tempo em que minha mãe esteve ao meu lado. Repensei toda a minha existência. Será que estava fazendo as coisas realmente importantes? Será que estava aproveitando minha vida? Porventura não a estaria malbaratando com coisas insignificantes? Ora, a única coisa importante na vida é o amor, o sentimento que justifica nossa existência. Será que estamos aprofundando todos os relacionamentos? O desperdício da vida está no amor que não damos, no aprisionamento das nossas potencialidades, no medo que paralisa e não arrisca. Muitas vezes, para evitar o sofrimento, não amamos, não sentimos, não arriscamos, não nos relacionamos, enfim, vivemos uma vida muito próxima da mediocridade.

Noto que a maioria de nós vive como se a morte não existisse, como se tivéssemos a eternidade para viver a presente encarnação. É claro que somos espíritos eternos, mas isso não significa que a nossa presente existência seja eterna. Muitos ignoram a certeza da morte para não ter uma vida fúnebre, querem aproveitar a vida, mas o fazem de forma destrutiva. No entanto, viver com a perspectiva do desencarne não implica ter uma vida triste, com cara de velório; significa ter a real dimensão da existência, ou seja, viver conscientes de que nascemos com um determinado propósito de vida e que um dia regressaremos à pátria espiritual, de preferência com nosso propósito alcançado. E esse objetivo existencial só se conquista amando. Se você não amar, sua existência terá tido pouquíssimo ou quase nenhum valor. Não importará se você sofreu muito, importará se você amou. E poucos amam.

Quando temos essa consciência, a nossa vida tem um sentido muito diferente. Vivemos cada minuto como a própria eternidade; vivemos cada experiência como se fosse a mais bela de todas. Cada pessoa que cruza o nosso caminho é um convite à amizade, ao companheirismo, à fraternidade. Cada trabalho que recebo é um ensejo de cooperação com o Universo. Cada talento que descubro é uma chance de tornar a vida mais bela e mais útil. Tenho convicção de que existe um grande propósito divino para a minha existência. Não estou neste mundo por acidente, aqui não me encontro para sofrer ou mesmo para desaparecer depois da morte. Não quero, por isso, caminhar neste mundo com medo da morte, porque sei que ela não existe. Sei que a morte apenas me convida a ver a vida de outra maneira. Eu quero andar livre para viver toda a beleza da vida, aproveitar cada instante, vivendo a eternidade de cada minuto. Pare e reflita sobre sua vida.

O rabino Henry Sobel escreveu uma página incomparável sobre a urgência de viver. Ele advertiu que nós esperamos demais para fazer o que precisa ser feito na vida. Falou que lamentamos a vida curta, mas que agimos como se tivéssemos à nossa disposição um estoque inesgotável de tempo, que esperamos demais para dar carinho aos nossos pais, aos nossos filhos e amigos, ignorando quão curto é o tempo e quão depressa a vida os faz ir embora. Esperamos demais para pronunciar palavras de perdão, de gratidão e de amor. Saiba que um dia, que não se sabe quando será, você atravessará a fronteira da morte e para o outro lado da existência só levará aquilo que conseguiu construir dentro de você. Aproveite a vida, é tempo de viver, de brincar com os filhos, de beijar a esposa, de abraçar o marido, de estar com os amigos, de cumprimentar as pessoas na rua, de ajudar alguém em dificuldade, de também pedir ajuda, de chorar nos momentos de dor, de pedir desculpas, de buscar suas aspirações profissionais, enfim, de viver cada segundo da sua existência em toda a plenitude. Não espere o amanhã para viver. Isso é uma forma de estar morto antes da hora.

Aproveito o dia de hoje para vivê-lo em plenitude.
Preencho a minha vida com alegria, trabalho e amor.
Coloco amor em todos os minutos da minha vida.

Dia de aceitar-se

Desejo muita luz no seu coração, torcendo para que você seja vitorioso. Um dos ingredientes fundamentais da felicidade consiste na capacidade que o indivíduo tem de se auto-aceitar. Quando queremos nos dirigir a um determinado lugar, sempre indagamos onde estamos, a fim de demarcar a rota a seguir. Sempre temos dois pontos: o de partida e o de chegada. Pois é, o nosso aprimoramento, seja material, seja espiritual, sempre pressupõe um ponto de partida, que consiste em nossa condição atual. Somos espíritos criados por Deus, simples e ignorantes; vamos nos construindo através dos tempos. O meu ponto de partida começou na noite dos tempos, a minha condição atual é fruto das experiências que somei até o presente momento. Hoje sou a plataforma do anjo que se desenhará mais tarde. Portanto, não posso negar o que sou, não posso fechar os olhos para a minha atual condição evolutiva, seja ela qual for. Tudo o que nego tende a crescer. A toda hora precisamos nos aceitar como somos, conhecendo-nos interiormente. Se quisermos crescer, precisamos partir do que hoje somos com todas as nossas virtudes, com todos os nossos defeitos, com toda a nossa luz, com toda a nossa sombra.

Não se envergonhe do que hoje você é, não se critique, não se negue por nada. Assuma o que você é. Aceite-se, reconheça suas fragilidades, admita que nem sempre acerta e que também se engana, que não tem respostas para tudo. Aceite que você não é perfeito, que já se equivocou por inúmeras vezes. Mas não se entristeça por isso; ao contrário, alegre o coração por reconhecer que ainda é um ser inacabado, alguém buscando a própria felicidade por meio de erros e acertos. Você não é Deus, admita isso. Aceite-se, portanto. Não há nada de errado em você, não seja seu inimigo, não se julgue tanto, abandone o juiz implacável que existe dentro de você, pois *qualquer tentativa de autopunição deverá ser substituída pela aquisição da auto-estima e da boa orientação para o logro da saúde mental e comportamental*[10]. Aceite-se, pois, do jeito que você é, sem máscaras, sem ilusões. Largue esse orgulho de viver de aparências. Seja autêntico, sendo apenas você.

Mas como somos seres em constante transformação, não podemos nos acomodar com o que somos. Vida é transformação, crescimento. Construa novos modelos para sua vida, cresça interiormente, busque novos caminhos, deixe de andar pelas estradas que ontem o levaram ao labirinto dos problemas atuais. Todo crescimento pressupõe o abandono de velhos padrões. Somos seres que estão se construindo todos os dias. Mas essa construção depende do quanto você não nega sua caminhada, do quanto você se aceita. Goste da maneira de ser, elogie-se, não imite quem quer que seja, seja apenas você, e nada mais. Aprecie seu sorriso, sua maneira de falar, o jeito que só você tem, a voz que é só sua. Ache graça das suas mancadas, não se leve tão a sério. Isso é ser espiritual, reconhecer que é um ser único na criação, que tem sua individualidade, que tem seu talento próprio, seu jeito que é só seu. Ninguém é igual a você, por isso ame-se, aceite-se e construa, a cada dia, novas paredes que o levarão ao edifício chamado felicidade.

Eu me aceito como sou.
Reconheço minhas virtudes, aceito minhas fragilidades.
Admiro minha individualidade e aceito meus limites.

Dia de trabalhar

Confiando que a nossa conversa se transforme em gotas de paz no oceano de sua vida, vamos pensar a respeito de como encaramos o trabalho. Passamos um terço ou mais da nossa vida trabalhando.

Buscando a etimologia da palavra trabalho, iremos verificar que ela tem origem no latim, derivando de "tripalium", que era um instrumento de tortura utilizado em épocas já distantes. É muito interessante essa associação entre trabalho e sofrimento. E assim o é para muitos ainda hoje. Tem-se a falsa idéia de que o trabalho é o castigo que a vida nos impôs por algum erro cometido. Muitas pessoas, quando acordam para trabalhar, sentem-se como sentenciadas à forca. Um empresário confidenciou-me que grande parte de seus funcionários chegam pela manhã ao trabalho de mau humor, mas todos estampam um sorriso largo quando termina o expediente.

Acredito que o sentimento negativo em relação ao trabalho merece reconsideração da nossa parte. Observemos que todo o progresso humano se deu à custa de muito trabalho. Um cientista trabalhou muito tempo para descobrir a cura de determinada enfermidade. Um remédio novo para chegar às prateleiras da farmácia exigiu muitos anos de pesquisas e testes. Uma casa não se levanta do dia para a noite. A comida que nos chega à mesa demandou o suor do lavrador por vários meses. O trabalho é uma das maiores conquistas do ser humano, pois por meio dele o homem progride e ajuda o progresso social. *O trabalho é Dom da vida, que dignifica e mantém o homem. Em toda a parte o trabalho se impõe como lei mantenedora do equilíbrio e sem ele tudo retornaria ao caos do princípio*[11]. Dessa maneira, todo trabalho é importante. Como ficariam as nossas ruas se não fosse o trabalho árduo que desenvolvem os garis? Precisamos de todos, do médico e do pedreiro, do cientista e do padeiro, do executivo e do artista, do presidente e da empregada doméstica. Todos são importantes porque todo trabalho é digno de quem o executa. Você já imaginou que o seu trabalho pode ajudar a vida de muitas pessoas? Se você trabalha atendendo ao público, pense que a educação e a cordialidade poderão ser o fator diferencial da sua empresa. Quantas vezes entramos numa loja para adquirir um produto qualquer e o vendedor nem sequer nos endereça um olhar? E ainda nos trata com absoluta indiferença. É provável que esse tipo de vendedor esteja hoje praguejando contra seu emprego, pensando em arrumar outro que lhe dê menos trabalho e mais dinheiro. É um sério candidato ao desemprego, revela a Espiritualidade.

Muitos querem um emprego, não um trabalho. E o mundo de hoje procura pessoas que querem trabalho, não emprego. Precisamos mudar nosso relacionamento com o trabalho, vê-lo como oportunidade de progresso, não apenas o progresso material, mas sobretudo como oportunidade de crescimento interior, de cooperação com o bem-estar geral. Portanto, vamos trabalhar com amor e dedicação, doando o melhor de nós. Com isso, estaremos abençoando o nosso trabalho e, por certo, ele também nos abençoará.

Adoro trabalhar.
O trabalho me dá progresso material e espiritual.
Meu trabalho contribui para um mundo melhor.

Dia de repousar

Deus está abençoando sua vida, sinta o amor que Ele tem por você e viva mais tranqüilo. Queremos falar sobre a necessidade do repouso. Da mesma forma que o homem precisa do trabalho, a fim de movimentar suas potencialidades, deve também repousar, refazendo as energias do corpo e da mente. Os filósofos da Antiguidade explicaram que a virtude estava no caminho do meio, isto é, nem tanto ao céu, nem tanto ao mar.

Trabalhar e repousar são atitudes que, se bem dimensionadas, poderão se converter em paz e saúde em nossa vida. Quem muito trabalha e não repousa, está fadado a desequilíbrios futuros, ao esgotamento das energias físicas e mentais. Os médicos alertam que hoje em dia as pessoas estão dormindo muito pouco, não sem evidentes prejuízos à saúde.

Já é conhecida, também, a expressão workaholic, designativa da pessoa viciada em trabalho. É a primeira que chega à empresa e a última a sair. Não tem refeições regulares, almoça em meio a papéis, negócios e reuniões. Não tira férias, porque se acha a pessoa mais importante no trabalho. O workaholic pensa que se ele faltar, a empresa vai à falência; trabalha no fim de semana, enfim, é um trabalhador compulsivo. Como conseqüência, está sempre estressado, nervoso, irritado, produzindo menos e com pouca qualidade; esquece-se de que as horas de descanso são vitais para um bom dia de trabalho. Quem estuda muito precisa de boas horas de sono. Todo extremo é perigoso. Se vamos muito para um lado, a vida depois nos leva ao outro, forçosamente. Por isso, muitos viciados em trabalho acabam tendo sérios problemas de saúde, uma forma que a vida encontra de levá-los ao equilíbrio. Se você está num extremo, a vida o põe no outro para que possa encontrar o meio-termo.

Portanto, após um dia de trabalho, precisamos nos permitir momentos de repouso, sem o que estaremos longe do equilíbrio. Procure descansar, variando as atividades; as possibilidades são muitas. Visite uma exposição de arte, vá a uma sala de cinema ou teatro, assista a um bom filme em casa, faça uma boa leitura, encontre os amigos para uma boa conversa, participe de um trabalho voluntário, tire férias quando possível, vá a um parque público e tenha as horas de sono necessárias. Estão aí algumas sugestões para o merecido repouso.

Não podemos converter o descanso em ociosidade, senão a preguiça toma conta de nós. É o caminho do meio a que nos referimos. Da mesma forma que trabalhar muito é prejudicial, repousar em excesso também não é bom, pois *as muitas horas de descanso violentam o caráter moral do homem e desarticulam as fibras e músculos orgânicos destinados ao movimento, à ação*[12]. Isso explica o motivo pelo qual o relaxamento excessivo torna as pessoas indolentes, apáticas, ociosas, desanimadas. A nossa felicidade depende das atitudes equilibradas que tomamos na vida. O trabalho e o repouso são duas ferramentas que Deus entregou ao homem para que, com moderação, encontrasse progresso e alegria. Pelo caminho do meio, você irá muito longe.

Tenho direito ao repouso.
Meu sono é reconfortante.
O equilíbrio governa a minha vida.

Dia de conversar

Que as nossas palavras possam enriquecer sua vida de beleza e alegria. Um dos grandes empecilhos para que tenhamos um bom dia reside no teor das conversações que mantemos. Muitas vezes, gastamos boa parte do dia em conversas pouco edificantes. Em relação às pessoas, detemo-nos em aspectos menos felizes de suas vidas, propagando comentários maledicentes. Aproveitamos a fraqueza alheia, divulgando situações particulares que só interessam aos seus protagonistas. Transformamos as quedas do próximo em noticiários de ampla cobertura. Em vista das notícias públicas, destacamos o lado ruim dos acontecimentos, remexendo detalhes violentos, ressaltando o pessimismo, exaltando a violência.

Esquecemos, todavia, que essas conversações doentias sempre trazem prejuízos aos que a mantém. *As conversas vis envenenam aqueles que as sustentam, enquanto vilipendiam* vidas outras que padecem constrições e vivem situações difíceis buscando superá-las a contributo de muito sacrifício*[13].

Certa feita indaguei à Espiritualidade amiga como ficavam as pessoas que se entregavam às conversações negativas e os benfeitores me permitiram ver que elas estavam impregnadas de uma substância escura e pegajosa, que se estendia por várias partes do corpo, enfraquecendo seu campo energético. Por isso é que as conversas negativas são um veneno. Mas um veneno que primeiro atinge os que as produzem. Será que é isso que você deseja para o seu dia? Envenenar-se de resíduos tóxicos? Você comeria um alimento se soubesse que ele está estragado, cheio de vermes e bactérias nocivas? Por certo, não. Por isso, cuidado com suas conversas. Se nada de útil temos a falar, será preferível silenciar a acusar ou agredir. Toda palavra que fere voltará logo mais semeando espinhos em nossa vida.

Para melhorar o padrão das nossas conversações, Joanna de Ângelis propõe algumas sugestões importantes: *Quando te vejas envolvido pelo clima das conversações nefastas, muda de assunto, propõe tema diferente, conciliador, edificante, substituindo a vulgaridade e o pessimismo, que devem ceder espaço ao conhecimento da beleza e da verdade. Seja tua a palavra de gentileza e de esperança em qualquer situação. Entretece comentários respeitosos e*

---

* Ato de tornar alguém ou algo vil (N.A.).

educa os que te compartem as palavras, gerando otimismo e fraternidade a todo momento[14].

Na verdade, estamos lhe propondo mudança de hábitos, que você pode adquirir com esforço pessoal e diário. Falando exclusivamente no bem, suas conversações estarão marcadas por luz e paz, iluminando os seus próprios passos e ajudando o mundo a ser mais feliz. Que tal falar no bem? Das suas conversas depende a sua felicidade.

Falo somente no bem.
Minhas palavras são amorosas.
Falo com gentileza e esperança.
Construo a minha vida com palavras positivas.

Dia de amar a si mesmo

Vamos conversar a respeito do amor que você deve ter por si mesmo. Acha estranho esse assunto? Pode ser. Muitas pessoas acreditam que só devem amar o próximo, esquecendo-se, porém, que também devemos amar a nós mesmos. Jesus enunciou a maior de todas as leis espirituais: Amar a Deus sobre todas as coisas e ao próximo como a si mesmo. Nosso destino é regido pela Lei do Amor. Esclarece a amiga Joanna de Ângelis, que a lei do Amor poderia ser vista sob três aspectos: Amar a Deus, Amar o próximo e Amar a si mesmo. São facetas do amor. Ninguém ama a Deus se não ama o próximo. A porta de acesso a Deus é o nosso próximo. E ninguém amará o próximo se não amar a si mesmo. É a trilogia do amor, que nasce em nós, atinge o nosso irmão para então poder chegar até Deus. É uma escala, cujo primeiro degrau consiste no auto-amor. Portanto, gostar de si mesmo será o primeiro desafio da evolução espiritual. Você somente será para o próximo aquilo que for para si mesmo. Se você não se amar, não conseguirá amar a quem quer que seja.

Amar-se é maneira de aprimorar-se em espírito, em emoção e em corpo[15]. Esse auto-amor significa auto-aceitação, autoperdão, auto-motivação para uma vida física repleta de alegrias e realizações plenificadoras. O auto-amor lhe dará bem-estar, paz interior e alegria de viver, facilitando o relacionamento com o próximo. Quando você está bem consigo mesmo, tudo à sua volta está bem. Você verá o próximo com mais ternura e compaixão, pois são esses os sentimentos que estão alimentando a sua alma. Lembre-se de que você só dá aquilo que tem. Então aí está um dos maiores desafios da nossa vida.

Examine, agora, como você está se tratando. Só recebe quem dá. Se não der amor a si mesmo, ninguém o amará de verdade. Se não se der respeito, os outros não o respeitarão. Se não se valorizar, os outros não lhe darão valor. A vida nos trata de acordo como nos tratamos. Ela é um grande espelho, sempre refletindo nossas atitudes interiores. Está sendo bom para você? Tem se perdoado dos seus erros? Tem se motivado para superar os desafios? Tem se aceitado como é? Tem se comparado aos outros? Tem reconhecido o seu valor pessoal? Aí estão algumas questões importantes para meditarmos. Seja caridoso também com você mesmo, dê-se atenção, respeite suas vontades, fique em paz consigo mesmo, aceite seus limites, procure se dar apoio constantemente. Espero que a partir de agora você possa ser o seu melhor amigo, enfim, que você se ame de verdade, pois desse amor dependerá a sua felicidade.

Declaro meu amor por mim.
Eu me amo, aceito-me e me apoio.
Eu me trato com carinho, respeito e atenção.
O amor que tenho é o amor que dou.

Dia da família

Tudo está caminhando para melhor. É sempre uma alegria estar em sua companhia. Aliás, você já pensou que o homem não conseguiria viver só? Mesmo os que se acreditam sozinhos sempre dependem de alguém. Nós precisamos da convivência humana, e a maior prova disso é que Deus nos fez nascer do contato de duas pessoas. Nós somos o fruto de duas almas que um dia se uniram e formaram uma nova família. E é por meio da família que nascemos, crescemos, educamo-nos e vivemos em sociedade. Deu para perceber a importância desse organismo que se chama família? Nossos pais nos propiciaram a vida, sustentaram-nos e deram as primeiras e as mais importantes lições de sobrevivência. Entretanto, muitas vezes não damos o devido valor à convivência no lar. A *família deveria ser um compromisso dignificador e não um ringue de lutas*[16].

Esclarecem os especialistas que grande parte dos distúrbios psicológicos do adulto têm as desavenças familiares por origem, principalmente as surgidas na infância. Não há tarefa mais importante para a pessoa do que a boa convivência na família. Poderemos ser bons profissionais, ótimos executivos, pessoas de fama e projeção social, mas nada disso é mais importante do que o sucesso nas relações familiares. É na vida do lar que diminuímos o nosso egoísmo, que aprendemos a dividir, a repartir, a tolerar e a aceitar as pessoas como elas são. É na intimidade da família que demonstramos nossos valores morais, pois fora do lar temos de usar máscaras que nos fazem pessoas relativamente aceitáveis. Mas dentro de casa somos o que somos. O lar é o laboratório que Deus criou para que pudéssemos aprender a viver com a família humana. Se as famílias fracassarem, o mundo mergulhará no caos.

Por sinal, você já conversou com seu filho, hoje? Já lhe deu um abraço? Já beijou a sua esposa ou o seu marido? Já deu um abraço em sua mãe, em seu pai? Família significa convivência, ou seja, vivência conjunta, vida em comum, estar ao lado, ser companheiro. Talvez os compromissos profissionais sejam muitos. Mas é importante que aproveitemos inteiramente o tempo de que dispomos com a família. Não permita que a televisão sufoque o diálogo no lar. Quando chegar à casa, fique com seu filho. Você é o melhor brinquedo que ele tem. Encontre um tempo para namorar sua mulher ou seu marido. Tenha um tempo só para vocês dois. Talvez seja pouco o tempo de que disponham, mas é preciso que esse tempo exista e seja profundo, terno e amoroso.

O amor precisa de cuidados contínuos. O casamento não é um troféu, como se depois dele o torneio tivesse acabado. Os cônjuges precisam continuar conquistando um ao outro, pois do contrário a rotina pode dificultar a vida a dois. Pense que a família é o seu maior investimento, que lhe renderá frutos de paz, alegria e felicidade. Desperte para a sua família, ainda hoje.

Amo a minha família.
Valorizo os meus filhos.
Meu cônjuge é um presente que Deus me ofertou.
Desejo todo o bem aos meus familiares.

Dia de paciência

Vamos falar sobre a paciência. Ninguém poderá encontrar a felicidade sem o recurso da paciência. *O cansaço, a desmotivação, a rotina e outros fatores estressantes, na área do comportamento, geram a irritação, a má vontade, o ressentimento, que respondem por estados emocionais perturbadores exteriorizando-se como agressividade, violência e pessimismo*[17]. De fato, a vida moderna pode nos conduzir a momentos de irritação, cansaço, desânimo e medo. Esses fatores podem nos levar a comportamentos agressivos, não apenas à agressividade física, mas também verbal.

Somos confrontados no lar, no trabalho, na via pública, entre amigos e, muitas vezes, reagimos com irritação e agressividade. Agimos sob o manto da cólera, do azedume, das palavras ácidas, e, por vezes, com agressividade física. Tudo isso ocorre por falta de paciência.

    Afirma-se que a paciência é a ciência da paz. Assim, ninguém terá paz se não tiver paciência. No trânsito, muitos perdem a vida por ausência de paciência. Depois da tragédia, o ofensor vai perceber que, se tivesse um pouquinho de paciência, a tragédia poderia ter sido evitada. Os danos no automóvel sempre serão ínfimos diante da morte da vítima e dos anos de prisão que o impaciente terá de enfrentar.

    Em face dos naturais obstáculos da vida, a paciência é arma necessária para vencer qualquer dificuldade. Se o seu familiar não o entende, espere um pouco mais, é possível que ele ainda não consiga enxergar as coisas de acordo com a sua ótica. A irritação só o afastará da posição que você quer que ele entenda. Se alguma contrariedade o surpreendeu, tenha paciência e espere um pouco mais, pode ser apenas um sinal da vida evitando males maiores.

    Se a doença o visitou, tenha paciência e aceite-lhe o concurso amigo, pois através dela você reconquistará a saúde perdida. Se alguma pessoa querida partiu em direção ao mundo espiritual, tenha paciência e, trabalhando pela felicidade geral, espere pelo dia em que todos nós faremos a mesma viagem para o grande reencontro. Se a dificuldade financeira bateu à sua porta, não se desespere, tenha paciência, trabalhe e aguarde um pouco mais por dias melhores, pois a aflição jamais o conduzirá às portas da prosperidade. Se alguém não lhe entendeu a palavra, repita a idéia, sem alteração da voz e de humor, a fim de que os seus objetivos sejam alcançados com êxito. Em qualquer dificuldade, a solução imediata é a paciência ativa, aquela que espera confiante e trabalha pelo melhor de tudo e de todos. Revista-se, pois, de paciência e siga com confiança rumo à felicidade. Como posso ser mais paciente neste dia?

Sou uma pessoa paciente.
Aceito o ritmo da vida.
Tenho calma em tudo o que faço.
Confio na Sabedoria de Deus, que sabe o que é melhor para mim.

Dia da partida

Que o nosso encontro converta em luz seus passos. Um dos mais angustiantes problemas que a criatura vive é a desencarnação de um ente querido. Muitos perdem o sentido da vida e chegam a desejar a própria morte ante a desencarnação da pessoa querida. A Espiritualidade amiga, entretanto, nos ensina que, ante os que partiram, não podemos nos desesperar e nos revoltar. É uma verdade. A revolta e o desespero só pioram a nossa dor, tal qual a ferida aberta que é sempre resvalada e nunca cicatriza. Sobretudo, precisamos ter uma atitude de compreensão do assunto. Quem compreende sofre menos. A morte não é o fim, apenas maneira de *conduzir o viajante da hospedaria terrestre para o seu lar verdadeiro*[18].

É preciso lembrar do ser amado com alegria e amor. Eu, por exemplo, recordo-me de que minha mãe, hoje na pátria espiritual, deixou-me muitos exemplos de honradez, trabalho e fé em Deus. Cultuar-lhe a memória será viver os exemplos que ela me ensinou. A saudade jamais se apagará do nosso coração e é preciso saber conviver com ela, fazer as pazes com a saudade. Gosto de uma canção interpretada por Roberto Carlos que exprime tudo: "Você é a saudade que eu gosto de ter, só assim sinto você bem perto de mim outra vez". A saudade deve ser algo positivo, lembrar-se do amigo que se foi com alegria de ter tido a honra de conviver com ele. Lembrar-se dos momentos felizes que passaram juntos e esquecer as ocorrências infelizes. É preciso continuar perdoando os que atravessaram o rio da morte. Eles precisam do nosso perdão, tanto quanto nós precisamos do amor deles.

Não devemos permitir que a tristeza pela suposta morte dos entes queridos nos impeça de continuar vivendo. Por certo, nossos afetos que estão do outro lado da vida não desejam a nossa angústia, a paralisia que toma conta de nós nesses momentos. Eles estão a nos dizer: "Continuem vivendo, vivam com esperança, não parem, não desistam, perseverem, deixem a tristeza para lá porque a vida espiritual é alegria e trabalho". A felicidade do ente amigo que partiu depende do quanto temos seguido o nosso caminho com paz e alegria. Cada pensamento de revolta e desespero que temos em relação ao companheiro que partiu chega a ele como uma carta assinada por nós mesmos e carregada de energia negativa. Será isso que desejamos ao ser amado? Será que ele não está precisando da nossa energia de coragem?

A desencarnação é um amor sem adeus, pois os que foram não morreram, apenas viajaram mais cedo rumo ao país da luz para onde todos nós um dia também iremos. Imaginem uma estrada, nosso ente querido está nesse caminho e logo mais vem uma curva bem acentuada. Ele faz a curva e o perdemos de vista, mas sabemos que ele está na estrada da vida, esperando que um dia também façamos a nossa curva e finalmente nos reencontremos na eternidade de nós mesmos.

Liberto o ser amado para que
ele siga o caminho necessário.
Estamos todos mergulhados na vida,
apenas separados por barreiras invisíveis.
Deixo partir os que foram chamados pela Vida
para novas lições de crescimento.
Desejo a felicidade a todos os que
cruzaram o meu caminho.

Dia de vencer o medo

Confiante que seu dia será uma página feliz no livro da sua vida, vamos refletir sobre o medo. Vivemos dias tumultuosos, cheios de desafios, a violência campeia, as guerras explodem, as doenças se alastram e tudo isso tem feito com que muitas pessoas vivam sob medo intenso. É o medo de ser assaltado, o medo de contrair uma doença, o medo de dirigir, o medo de falar em público, o medo de morrer, o medo de viver, o medo de que algo ruim ocorra a alguém da nossa família, o medo de perder o emprego... a lista é interminável. Embora não se negue que viver nos dias de hoje é, de fato, um grande desafio, devemos considerar que o medo em nada nos ajuda.

É claro que não se pode viver sem prudência. Se vou atravessar uma rua, é prudente que antes me certifique de que o trânsito permite uma travessia segura. Mas se a prudência é necessária, o medo é algo que não ajuda em nada. O medo não é eficaz; ao contrário, ele nos paralisa, aprisiona, ceifando a nossa vida. Eu conheci uma pessoa que tinha medo de ser assaltada na rua e por isso não saía mais de casa, nem de noite, nem de dia. Era aposentada, não deixava a casa nem para fazer compras. Fazia tudo pelo telefone. Pois bem, soube recentemente que ela morreu em sua própria casa, vítima de uma bala perdida, em plena luz do dia. Se ela estivesse na rua, trabalhando ou até passeando, talvez não tivesse sido atingida. De que valeu o medo para essa pessoa? Percebam que ela acabou sendo vítima daquilo que tanto temia, a violência. Esse é um dos efeitos que o medo produz, traz tudo aquilo que você mais teme, tudo o que você quis evitar e que não estava no mapa das suas provações. Não podemos esquecer que o homem é aquilo que pensa. Se nossos pensamentos são de medo, criaremos em torno de nós uma ambientação energética de igual teor, atraindo, pela lei de afinidade vibratória, as situações que tanto tememos.

    Como, então, poderíamos vencer esse adversário cruel? A amiga Joanna de Ângelis nos alerta para não cultivar o medo[19]. Esse sentimento cresce se nós o cultivarmos, isto é, se dermos importância a ele, dermos crédito. Se nos vier um pensamento de medo, devemos eliminá-lo pela raiz, substituindo-o, imediatamente, por pensamentos de coragem e fé. Vença o medo, não seja por ele vencido. Joanna ainda nos diz que devemos manter confiança em Deus, a fim de enfrentar todas as ocorrências de nossa vida. Todo mal encerra um grande bem e só me ocorre aquilo que me for necessário. A vida nunca está contra nós, já que somos a própria vida. Nada, pois, a temer, uma vez que sempre estaremos nas mãos de Deus. Que mal pode me ocorrer se me reconheço um espírito eterno? Somos indestrutíveis. Nenhuma doença, nenhum problema conseguirá me derrubar se me vejo como espírito imortal. Se assim agirmos, com bons pensamentos, boas atitudes e, mantendo absoluta confiança no bem universal, expulsaremos de nós todo o medo, vivendo uma vida de paz, coragem e alegria.

Sou uma pessoa corajosa.
Sempre estou protegido.
Afasto de mim todo pensamento de medo.
Sou forte, sou capaz, tenho força interior
para superar as adversidades.

Dia da libertação

Meu grande abraço a você, que agora inicia mais uma jornada em sua vida, tenha confiança que o dia lhe trará muitas oportunidades positivas. Numa das noites em que escrevia este livro, fui tocado por uma energia espiritual meiga, mas vigorosa; terna, mas firme, inspirando-me palavras de alento e esperança, que agora divido com todos:

"Amigos, estou aqui para falar a todos que a vida é muito boa, que tudo está muito bom, que estamos iniciando mais um dia que poderá ser o grande dia da nossa libertação interior. Jesus disse: 'Conhecereis a verdade e a verdade vos libertará'. E qual é essa verdade? É a verdade da nossa essência interior, daquilo que somos, espíritos eternos, e do que aqui viemos fazer neste planeta, que ainda vive muita dor e amargura por causa da nossa ignorância.

José Carlos De Lucca

Nossa passagem pelo planeta tem por objetivo a transformação interior de cada criatura, não para uma vida de santidade, mas para uma existência que tenha o bem como norma de conduta. Quando falamos no bem, não nos referimos apenas à ação da caridade material, que é importante, mas que não atende a todas as nossas necessidades de evolução. Falamos nesse bem maior, que é a nossa identificação com o progresso material e espiritual, esse progresso que vem da criatividade que se tem no trabalho, de você fazer o serviço bem feito, com muito capricho, com muito gosto; de você, dona de casa, fazer a comidinha bem gostosa, deixar a casa bem aconchegante; de você compor a música com todas as letras da alma, de progredir em todos os níveis e gostar do progresso dos outros. Meu amigo, essa é a beleza da vida; estamos aí para ver esse povo cantar mais, trabalhar com mais alegria interior, com mais confiança nas suas possibilidades; ser mais criativo e reclamar menos; ser mais firme nas atitudes do bem e abandonar o mal como opção de vida. O mal só nos faz mal, só agride a nós mesmos, só prejudica a nossa saúde, só tranca os nossos caminhos. Mas eu quero é ficar no bem, no bem das pessoas, no bem dos países, das situações; quero me identificar com o que é bom.

Nós, que estamos aqui do outro lado da vida, que podemos ver as coisas com maior amplitude, só nos identificamos com o bem de cada um. Não nos interessam os defeitos das pessoas, pois isso é coisa de gente que ainda valoriza o mal, e o mal, não deve ser valorizado.

Hoje é o dia em que você pode mudar sua vida, meu companheiro, minha companheira, mudando a sua atitude mental. Pare de reclamar, minha gente, chega de olhar para aquilo que lhe falta, deixe de ser vítima do mundo e vá se levantando para preparar o seu caminho em novas bases positivas. Já viu quanta coisa temos a fazer e ainda queremos cuidar da vida do próximo? Por isso, caros amigos, vamos cuidar de nós, vamos trabalhar, pois se estivermos bem, o mundo ficará bem. Já percebeu que seu rosto sisudo amarra o mundo e emperra sua vida? Já viu que sua tristeza deixa o mundo mais triste e a inércia toma conta de você? Já viu que sua doença deixa o mundo todo doente? Então, se quisermos mudar o mundo, vamos começar mudando a nós. Vamos endireitar apenas a nossa vida, colocando-a no caminho do amor, do bem interior, da paz e da alegria. Quando estamos bem por dentro, o mundo fica bom por fora. Vamos tirar as mágoas de dentro de nós, vamos acabar com a tristeza, pois senão a depressão acaba conosco. Vamos tirar as dificuldades da nossa mente, senão elas se manifestarão em nossa vida. O mundo não tem problemas, tem desafios que vamos enfrentar com determinação e coragem. A vida não tem paredes intransponíveis, nós é que ainda não enxergamos a porta aberta. Não há luz no fim do túnel porque não existe túnel sem saída. Tudo tem jeito, tem solução, basta estarmos com os olhos de ver, como falava Jesus. Então é essa energia que eu queria trazer para vocês neste dia. Vamos para frente, amigos, pois nem os defuntos estão mortos".

Minha vida caminha para melhor.
Deixo partir todos os padrões negativos que me aprisionaram.
Sinto muita segurança.
Liberto-me do fracasso, da solidão e do medo de viver.

Dia de Deus, o teu refúgio

Iniciamos um novo dia, cheios de ânimo para realizar o que temos de melhor. Temos momentos na nossa vida em que tudo parece conspirar contra a nossa felicidade. Muitos se angustiam e reclamam que não possuem um amigo sequer para poder desabafar ou algum lugar onde possam se refugiar das tormentas. Alguns até acabam derivando para o álcool, para as drogas, para o consumismo exagerado, e tentam com isso se isolar das dificuldades, embora sem nenhum sucesso. Mas não precisaria ser assim. Ninguém pode alegar solidão quando tem Deus como melhor refúgio. *Deus é o teu amigo perfeito, acessível, sempre disposto a ouvir-te as queixas e a apresentar-te soluções. Jamais se cansa, nunca se exaspera.*

Sempre indulgente, é refúgio seguro, onde o consolo se expande, tranqüilizando aquele que busca albergue. Ele provê todas as suas necessidades, mas não as assume, anulando o teu esforço e valor, assim candidatando-se à inutilidade. Ele te abençoa, quer o procure ou não. Contudo, se te elevas em pensamento, sintonizando com suas dádivas, assimilarás melhor a irradiação desse supremo amor[20].

Se déssemos conta desse amor divino, assumindo a condição de filhos de Deus, por certo a nossa vida ganharia outro sentido. Você, caro leitor, já se deu conta de que é filho de Deus? Mais do que saber, já pôde sentir isso no fundo da alma? Fale para você, neste instante, sentindo com o coração: **Sou Filho de Deus**. Repita: **Sou Filho de Deus**. Sou, assim, um ser saudável, um ser potencialmente perfeito, nada impedirá a minha felicidade, nenhum obstáculo vencerá o filho de Deus. É preciso ter a experiência com Deus, o que é muito diferente de tentar entender o Criador. Não é racionalizar Deus, mas senti-lo, forte, vigoroso, segurando a sua mão, orientando-o a transpor todos os obstáculos que surgirem. Faça silêncio interior para ouvir o que Deus tem a lhe dizer. Fique atento porque Ele gosta de se disfarçar: pode se esconder no sorriso de uma criança, no abraço de um amigo que surge inesperadamente, na página de um livro que lhe cai nas mãos, na melodia de uma música que o emociona – enfim, Deus tem muitas formas de lhe dizer que o ama infinitamente.

Estreite esse relacionamento. Como diz Joanna, Deus é acessível, está ao nosso alcance pelas ondas da prece sincera. Orar é falar com Deus. Nos momentos de dificuldades, a oração será para nós o auxílio seguro, a linha direta com Deus, através da qual falamos, desabafamos, choramos e, sobretudo, somos consolados, fortalecidos e plenificados pelo Seu Amor. Aconselha a Espiritualidade amiga que nada devemos fazer sem nos apoiarmos nesse Amigo certo, seguro e paternal, que é Deus. Que hoje você perceba Deus em sua vida. De alguma forma, Ele estará presente.

Deus é meu refúgio.
Estou seguro nas mãos de Deus.
Estou sempre em segurança.
Deus me abençoa este dia.

Dia da juventude

Vamos ter mais um dia de paz em nossa vida. Quero contar a vocês uma história que circulou na internet, cujo autor é desconhecido. Trata-se da história de dona Cacilda, uma senhora excepcional, que tem muito a nos ensinar. Dona Cacilda tem noventa e dois anos, miúda, e tão elegante que, todos os dias, às oito da manhã, já está toda vestida, bem penteada e maquiada, apesar da pouca visão. Ela teve de se mudar para uma casa de repouso, pois o marido, com quem conviveu durante setenta anos, havia morrido fazia pouco tempo. Depois de esperar pacientemente, por duas horas, na sala de visitas do asilo, ela ainda deu um lindo sorriso quando a atendente veio dizer que seu quarto estava pronto. Enquanto ela manobrava o andador em direção ao novo aposento, a atendente deu uma descrição do minúsculo quarto em que dona Cacilda ficaria, falando sobre as cortinas floridas que enfeitavam a janela "Ah, eu adoro essas cortinas...", ela interrompeu a atendente com o entusiasmo de uma garotinha que acabou de ganhar um filhote de cachorrinho. "Dona Cacilda, a senhora ainda nem viu seu quarto... espera mais um pouco...", interpelou a atendente. "Isso não tem nada a ver", respondeu. "Felicidade é algo que você decide por princípio. Se eu vou gostar ou não do meu quarto não depende de como a mobília está arrumada, mas sim de como eu preparo minha expectativa. E eu já decidi que vou adorar. É uma decisão que tomo todos os dias quando acordo. Sabe, eu tenho duas escolhas: posso passar o dia inteiro na cama contando as dificuldades que tenho em certas partes do meu corpo que não funcionam bem... ou posso levantar da cama agradecendo pelas outras partes que ainda me obedecem.

Cada dia é um presente, e enquanto meus olhos se abrirem, vou focalizar não apenas o novo dia, mas também as lembranças alegres que eu guardei para esta época da vida. A velhice é como uma conta bancária: você só retira daquilo que você guardou. Então, meu conselho para você é depositar um monte de alegrias e felicidades na sua Conta de Lembranças. E, aliás, obrigada por este seu depósito no meu Banco de Lembranças. Como você vê, eu ainda continuo depositando".

"E qual seria uma receita para se manter jovem, dona Cacilda?", perguntou a moça.

"Bem eu poderia sugerir o seguinte:

1. Freqüente de preferência seus amigos alegres. Os de baixo-astral puxam você para baixo.
2. Continue aprendendo. Aprenda mais sobre computador, artesanato, jardinagem, qualquer coisa. Não deixe o cérebro desocupado. Uma mente sem uso é a oficina do diabo. E o nome do diabo é Alzheimer.

3. Curta coisas simples.
4. Ria sempre, muito e alto. Ria até perder o fôlego.
5. Lágrimas acontecem. Agüente, sofra e siga em frente. A única pessoa que acompanha você a vida toda é VOCÊ mesmo. Esteja vivo enquanto você viver.
6. Esteja sempre rodeado do que você gosta: pode ser família, animais, lembranças, música, plantas, um hobby, o que for. O lar é o seu refúgio.
7. Aproveite sua saúde. Se for boa, preserve-a. Se está instável, melhore-a. Se está abaixo desse nível, peça ajuda.
8. Não faça viagens de remorsos. Viaje para o shopping, para a cidade vizinha, para um país estrangeiro, mas não faça viagens ao passado.
9. Diga a todos a quem você ama, que você realmente os ama, em todas as oportunidades.

E LEMBRE-SE SEMPRE DE QUE:

10. A vida não é medida pelo número de vezes que você respirou, mas pelos momentos em que você perdeu o fôlego de tanto rir de surpresa, de êxtase, de felicidade...".

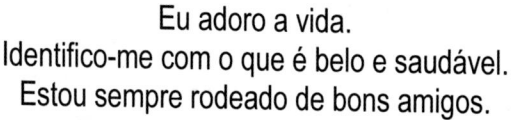

Eu adoro a vida.
Identifico-me com o que é belo e saudável.
Estou sempre rodeado de bons amigos.
Estou sempre bem-humorado.

Dia do autoconhecimento

Muito se fala na necessidade que temos de conhecer a nós mesmos. Para alguns pode ser estranha essa idéia, pois acreditam que todos conhecem a si mesmos. Aí está o engano. Somos, quase sempre, desconhecidos para nós mesmos. Costumo perguntar a várias pessoas quem elas são e recebo respostas mais ou menos parecidas: "Sou professora", "Sou mecânico", "Sou jovem", "Sou rico", "Sou religioso". Ora, essas características não demonstram que a pessoa se conhece, pois profissão, sexo, religião e condição social são estados passageiros, e o que é transitório não pode definir o que de fato somos. Poucos, portanto, conhecem-se. Essa conversa de autoconhecimento não é nova, os filósofos gregos da Antiguidade já se referiam à necessidade que o homem tinha de se conhecer. Se tudo na vida depende de mim, depende das minhas atitudes, se sou um universo em ação, preciso saber quem sou, o que me move na vida, por que me comporto desta ou daquela maneira, a fim de tomar as atitudes adequadas que gerarão paz e felicidade.

Além do mais, temos uma verdade interior, aquilo que se passa no fundo da nossa alma, são os nossos sonhos existenciais, os nossos objetivos, a razão da nossa vida. Você já parou para pensar que existe uma razão para você estar vivo? Que existe um motivo para que você esteja aqui em nosso planeta? Que você não está aqui por acaso? Você tem uma missão a realizar, que é o seu desenvolvimento interior. E se você está vivo, por pior que lhe pareça a situação, é porque essa missão ainda não terminou. Você está aqui para evoluir desenvolvendo seus inúmeros potenciais. Mas quais são eles? Ah, isso só você poderá saber, desde que mergulhe fundo no seu universo interior. Pode ser o seu potencial de garra, de determinação, de coragem, de renúncia, de afeto, de tolerância, de paciência, enfim, as possibilidades são muito variadas. Seus problemas podem indicar que setor da sua vida está precisando de atenção, o que realça a idéia da necessidade que temos de nos conhecer. É preciso descobrir-se, saber quem você é, qual a razão da sua existência, quais as lições que a vida está lhe trazendo para o seu crescimento. O Universo está sempre do seu lado, porque Deus deseja o seu bem. Espero que esta conversa possa despertar em você o desejo de se autoconhecer, de se descobrir. Por certo, conhecemos muito dos outros, mas pouco sobre nós mesmos. Se eu for um desconhecido para mim, que felicidade eu posso esperar da vida? Quando vamos dar um presente a alguém, procuramos nos inteirar do que a pessoa gosta, quem ela é. Da mesma forma deve ocorrer conosco. *O autoconhecimento coopera para que se possa discernir em torno do que é útil ou supérfluo, indispensável ou secundário à vida feliz*[21]. Afinal, quem é você?

Quem sou eu?
Por que fico triste diante de determinados fatos?
Qual é o meu propósito de vida?
Estou realizando na vida o que pede a minha alma?

Dia de ser você

Tudo está caminhando para melhor. Hoje é dia de assumir a pessoa que você é. *Em qualquer circunstância, mantém-te tu mesmo. Não te apresentes superior ao que és, nem te subestimes, a ponto de parecer o que não sejas*[22]. Muitas vezes, aparentamos ser o que de fato não somos, vivendo uma vida de aparências. Seja você apenas aquilo que pode ser, nem mais, nem menos daquilo que você é. Isso é ser autêntico. Aceite as imperfeições, as limitações.

Todos que estamos na terra temos defeitos. Aceite-se do jeito que você é. Não se esqueça, você é humano. Mas também reconheça suas virtudes, você sabe que tem muitos talentos. Lembre-se de que você é um projeto inacabado, um ser ainda em construção, que está no planeta para evoluir em todos os aspectos.

Abandone toda idéia de fracasso e de prepotência. Aproveite este dia para tomar consciência de si mesmo, das infinitas possibilidades de crescer a partir das próprias imperfeições. Seja você, revele a sua individualidade, que é tão bela. Não tenha vergonha de você. Não se compare a ninguém nem procure imitar quem quer que seja. Aprenda com os outros, mas não inveje ninguém. Os outros não são mais, nem menos que você. Eles são apenas eles, assim como você é simplesmente você. Sentindo cada uma das palavras, diga para você mesmo: **Eu sou eu.** Mais uma vez: **Eu sou eu.** É bem provável que tenha sentido uma agradável sensação, fruto do contato que teve com você mesmo, com a sua individualidade. Muitos, todavia, vivem de acordo com as expectativas do próximo, querem agradar o outro desagradando a si mesmo. Negam a sua natureza, negam o espírito e vivem uma vida de fachada.

Repare que a vida é diversidade. Há pessoas que preferem morangos; outras apreciam laranjas. Uns preferem o amarelo; outros o verde. Uns gostam de pintura; outros apreciam esportes. Uns são bons mecânicos; outros, excelentes professores. Algumas mulheres cozinham muito bem; outras se dão melhor na máquina de costura ou no magistério. E a mulher que se dá melhor na sala de aula não é mais importante do que a que gosta de cozinhar. Cada um só é bom se deixar sua luz brilhar. Cada um é cada um, isso pode parecer óbvio, mas muitas pessoas insistem em não viver a sua individualidade. Por isso Jesus disse: "Brilhe a vossa luz".

Neste dia, deixe a sua luz iluminar o Universo, com os talentos que você possui. Se você é uma pessoa falante e gosta de ser assim, continue sendo do seu jeito, porque é dessa maneira que você contribui para o mundo ficar mais comunicativo. Se você é feliz sendo mais introspectivo, não queira modificar o seu jeito, pois o seu silêncio também coopera para um mundo de paz. Se você gosta de dançar, exercite o seu talento, porque a sua dança vai ajudar o mundo a ficar mais alegre. Se você cozinha bem, não se envergonhe disso, acenda toda a sua luz na preparação de uma refeição bem gostosa e as pessoas agradecerão às suas mãos generosas. Se você gosta de ser professor, não se iluda com os que falam que o magistério o deixará pobre. Se os seus olhos brilharem na sala de aula, a vida abrirá para você todas as portas da prosperidade. Isto é ser espiritual: viver pelo espírito, colocarmo-nos em tudo o que fazemos, pôr o nosso selo individual em todas as nossas ações. Ser espiritualista é reconhecer que na vida cada um está onde pode estar. Cada espírito tem a sua trajetória, a sua caminhada, o seu jeito próprio de ser. Negando a nossa individualidade e a do próximo, viveremos como materialistas, ignorantes das verdades espirituais. Viva, a partir de hoje, a sua espiritualidade, assumindo quem você é e vivendo de acordo com o seu espírito. É para isso que você está vivo.

Eu sou eu. Eu sou eu.
Sou uma pessoa especial.
Aceito-me como sou.
Trabalho para desenvolver a minha espiritualidade.

Dia de falar bem

E steja bem disposto para boas realizações. Vamos conversar a respeito de um assunto que poderá nos ajudar a ter um dia feliz. Refiro-me às palavras, ao poder que elas têm de afetar nossa vida. Reconhecemos que a palavra é dotada de força, energia. Da mesma forma que o pensamento tem poder, a palavra também cria um campo energético compatível com o seu teor, abrindo caminhos ou embaraçando nossos passos. Construímos o destino e fazemos isso também com o que falamos e com o que escrevemos. A palavra pode ser mais cruel do que um canhão, tem poder de fazer mais estragos que uma bomba. Mas pode abrir caminhos, conquistar pessoas, melhorar os relacionamentos. *Se a nossa palavra não tiver o objetivo de auxiliar, será melhor que não a apresentemos para criticar*[23].
Não raro, nossa palavra é ácida, venenosa, cheia

de rancor. A pretexto de falar a verdade, ferimos as pessoas com palavras marcadas pelo fogo da crueldade. Por vezes não é tanto o que se fala, mas a maneira como se fala. A palavra agressiva não esclarece, ao contrário, só desperta ódio na pessoa que nos ouve.

Somos responsáveis por tudo o que dissermos. Também semeamos o futuro com as palavras que hoje proferimos. Examinemos o que temos falado, e como temos falado, procurando falar no bem, a fim de que amanhã possamos ser também envolvidos pelas boas palavras dos que cruzarem o nosso caminho. Mas é bom considerar que muitas vezes nos omitimos em pronunciar palavras que são essenciais no relacionamento humano. Quantas vezes esquecemos de dizer "muito obrigado", ou um "por favor", palavras fundamentais na vida familiar, no trabalho, na via pública. Quantas vezes esquecemos de emitir palavras de elogio às pessoas que nos cercam. Temos o hábito de criticar o que está errado, mas não elogiamos o que é bom. Experimente elogiar as pessoas na sua família e você verá os milagres que ocorrerão.

O notável escritor Mark Twain exclamou que ganhava energia por dois meses ao receber um bom elogio. Por sinal, você já elogiou seu marido hoje? Já disse palavras doces à esposa? Já experimentou falar a respeito das qualidades dos filhos? E você, empresário, por que não elogiar os funcionários, hoje? E você, que é empregado, anda falando bem do patrão? A gratidão precisa ser dita, necessita ser expressa, verbalizada. É preciso abençoar a vida para que a vida nos abençoe. Seu dia de paz depende de palavras pacíficas. Seu dia de alegria depende de palavras alegres. Seu dia de saúde depende de palavras saudáveis. Receber amor da vida depende do quanto há de amor em você. É assim que poderá criar uma vida nova por meio de palavras iluminadas. Só depende de você.

Tenho muitas palavras amáveis a dizer.
Gosto de elogiar as pessoas.
Falo com bondade e paciência.
Construo a minha vida com boas palavras.

Dia de valorizar o presente

Há uma estatística feita por psicólogos que nos dará boas pistas para melhorar nossa vida. Estudiosos procuraram saber como as pessoas aproveitavam o tempo. O resultado foi surpreendente: 70% das pessoas vivem do passado, 25% vivem do futuro e somente 5% vivem do presente. Disso resulta que a maioria de nós não dá valor ao presente, ora se fixando no passado, ora no futuro. Fácil explicar o motivo pelo qual somos tão infelizes, pois estamos vivendo num tempo que não existe. Passado e futuro são realidades imaginárias.

    Com freqüência, não percebemos que o passado é passado, ou seja, um tempo já findo e que não poderemos refazer o que foi feito. Essas pessoas vivem lamentando as oportunidades perdidas, os amores não correspondidos, os erros cometidos. Não conseguem viver o presente porque estão com a mente voltada num tempo que já não existe. Para elas, o passado não passou. Relembram as experiências infelizes a toda hora e sofrem, em vão, dezenas de vezes pelo que ocorreu. Não conseguimos mudar o passado. Se alguém bateu o carro, será possível voltar no tempo e evitar a colisão? É evidente que não. O que ocorreu não pode ser mudado. Poderá ser remediado. No exemplo, a pessoa poderá mandar consertar o veículo. Portanto, precisamos fechar as gavetas do passado, pois sem isso jamais poderemos ter um dia feliz.

Se ontem tive uma discussão com um amigo, não posso ficar remoendo o ocorrido. A discussão já terminou, esse fato já é passado. É preciso virar a página, do contrário a discussão não sairá da nossa cabeça e reviveremos todos os sentimentos negativos que alimentaram a discórdia, sofrendo novamente. O passado pode nos ajudar a aprender com os erros cometidos, a fim de não reincidir no mesmo equívoco. Para libertar-se do passado, encontraremos no Evangelho um poderoso dissolvente chamado perdão; sem ele a consciência arde em chamas.

Outra situação que nos tira do presente é a ansiedade, a preocupação excessiva com o amanhã, não sem prejuízos para nós, pois *a ansiedade trabalha contra a estabilidade do corpo e da emoção*[24]. Ora, o futuro ainda não chegou e quando chegar deixará de ser futuro para ser presente. É importante que tenhamos objetivos para o amanhã, mas não podemos nos preocupar com o que poderá, ou não, sobrevir a nós. A propósito, alguém consegue controlar o amanhã? Temos alguma garantia do futuro? Nenhuma. Então vamos depositar toda a nossa atenção no presente, pois cuidando do hoje iremos cicatrizar as feridas do passado e preparar o nosso porvir. Alerta o Dalai-Lama que há dois dias no ano em que nada pode ser feito: é o dia de ontem e o dia de amanhã. Portanto, como seu dia está começando, tome posse da sua vida e assuma o controle da sua existência. Deixe o passado passar, liberte-se da ânsia do amanhã e viva intensamente o dia que lhe cabe hoje e agora. Há tanta vida lá fora, tantos caminhos novos aguardando a sua decisão de ser feliz, hoje...

Valorizo o meu presente.
Deixo o passado passar, todas as mágoas, culpas e medos.
Valorizo cada minuto da minha vida.
Hoje é o dia mais feliz da minha existência.

Dia de perdoar-se

Iniciamos mais um dia com entusiasmo, crendo que a felicidade está à nossa espera. Tenho observado que muitas pessoas não alcançam a felicidade porque carregam sentimentos de culpa. Sentem que não são merecedoras de coisas boas, pois nutrem sentimentos de ódio em relação a si mesmas em virtude de erros praticados. Penso que são pessoas dotadas de muito orgulho, pois não admitem sequer a possibilidade do erro em sua vida. Aliás, notava essa tendência em mim, sempre implacável com os meus erros. Analisando-me, porém, descobri-me orgulhoso, vaidoso; acreditava que devia me comportar como um deus, que nunca erra. Estava longe da minha natural condição humana. Foi preciso muita humildade para poder me perdoar dos equívocos cometidos, com o que passei a experimentar mais felicidade em minha vida.

    A Espiritualidade vem alertando para a necessidade do autoperdão. Da mesma forma que devemos ser tolerantes com as faltas alheias, também devemos usar de indulgência para com as nossas. Por que razão somente deverei perdoar o próximo? Somente posso ser para o outro o que sou para mim. *Não fiques remoendo o acontecimento no qual malograste, nem vitalizes o erro através da sua incessante recordação*[25]. Quando nos descobrirmos em erro, não poderemos perder tempo com o remorso, que em nada ajuda na solução do problema. Ficar relembrando de episódios tristes só aumentará a nossa tristeza. É importante aceitar os nossos limites, saber que ainda somos seres falíveis. Perdoe-se e arrebente as algemas com o passado, prosseguindo sua vida. O homem que ama, a si mesmo se ama e se perdoa. Você merece ser perdoado, não importa a gravidade da sua conduta; num mundo de relatividade não há lugar para erros absolutos, expressou Yogananda[*], sábio espiritualista, que viveu na Índia, no século passado. Dê-se a oportunidade do autoperdão. Quando Jesus encontrou a mulher adúltera, libertou-a do apedrejamento, ensejando-lhe o perdão. Ele ofereceu à mulher uma proposta terapêutica, dizendo: "Vá e não volte a errar".

    Perceba que essas palavras de Jesus encerram uma proposta de libertação das nossas culpas e medos. Falou o Mestre do Perdão: "Vá". Isso é maravilhoso. Significa que diante do erro não podemos impedir nossa vida de

---

[*] *Onde existe luz.* Organização Self-Realization Fellowship, 1997. p. 107 (N.A.).

crescer, de continuar, de conquistar novas oportunidades de reconstrução da nossa história. "Vá" significa andar, levantar-se, sacudir o pó das sandálias e recomeçar a vida, sem olhar para trás. Entretanto, Jesus traz ainda a proposta de não voltarmos a errar, reconsiderarmos os nossos atos. Não importa muito o que nós temos sido até o momento. É mais importante saber o que nós poderemos ser de agora em diante, não repetindo velhas condutas que já sabemos causadoras de perturbações de toda ordem. Esteja você onde estiver agora – na sua casa, no trabalho, num leito de hospital, no presídio, no transporte coletivo – alimente-se desse elixir milagroso que se chama perdão. Não demore nem mais um minuto de sua vida sem esse dissolvente de culpas. Perdoe-se, mas se perdoe agora.

Eu me perdôo de todos os erros cometidos.
Mereço o perdão, porque Deus me ama incondicionalmente.
Abandono as atitudes que ontem me causaram dor e sofrimento.
Eu me vejo como Deus me vê.

Dia de caridade

Vamos iniciar o nosso dia agradecendo a Deus por mais uma oportunidade de progresso. Um dia feliz depende também de como fazemos os outros felizes, isto é, a nossa felicidade será equivalente à felicidade que proporcionarmos ao próximo. É muito intrigante esse pensamento, já que a Espiritualidade nos propõe uma atitude de dar para ser feliz. E, comumente, pensamos que é o contrário, ou seja, que quanto mais acumularmos, mais seremos felizes. Não é assim, porém. Perante as leis cósmicas, rico é aquele que multiplica seus tesouros, e assim quanto mais dá, mais tem. Há um fluxo de energia no Universo que movimenta as nossas possibilidades de acordo com a nossa generosidade. Se você movimenta seu patrimônio em favor dos que têm menos que você, mais o Universo saberá recompensá-lo. Entretanto, é bom considerar que não estamos nos referindo somente aos bens materiais. Temos também tesouros espirituais que podem e devem ser repartidos: um bom conselho, um telefonema a um amigo em dificuldades, uma visita a alguém hospitalizado, um livro edificante que podemos oferecer a uma pessoa desorientada, um sorriso, um abraço, enfim, milhares de possibilidades de ajudar sem pôr a mão no bolso. Outro dia parei num semáforo e um menino de rua queria me vender balas. Recusei a venda, mas dei a ele uma moeda. A amiga que me acompanhava disse a ele: "Menino, você é muito bonito". Encantado com o elogio, o garoto encheu a mão de balas e ofertou à minha amiga. A mim ele nada deu, nada falou, não obstante a moeda que friamente lhe havia oferecido. Mas o fato é que minha amiga deu a ele algo que o dinheiro não podia comprar: o afeto, a ternura e a compaixão. Ao deixar o local, notei que tanto o garoto como a minha amiga estavam muito felizes. Um pequeno gesto de amor foi capaz de realizar o milagre da felicidade.

    Quando se estende a mão ao próximo, entramos na sinergia do amor, damos e recebemos, ajudamos e somos ajudados. Quantas vezes me consolo ao escrever meus livros. Quantas vezes minhas palestras se constituem nas verdades que preciso ouvir. Fica sempre um pouco de perfume nas mãos que oferecem rosas, declamam os poetas. Não que devemos fazer algo para receber benefícios, mas a melhor terapêutica para muitos dos nossos problemas consiste em esquecermos um pouco de nós e socorrer os que se acham em situações mais penosas do que as nossas. Nossas dificuldades, não raro, são bem menores que as do irmão que nos pede ajuda. Se cada um pensar apenas em si, jamais teremos um mundo feliz. Veja como pode ajudar-se, ajudando. Há quem precise do pão do corpo, há quem necessite do pão da alma. Examine as suas possibilidades de ser aquele que é feliz pelo muito que dá ao seu próximo. Certa feita me aconselhou Chico Xavier: "Procure enxugar as lágrimas do próximo para que Deus enxugue as suas". É o que estou fazendo ao escrever este livro. Eu sei que você também pode.

Sou uma pessoa generosa.
A caridade é a minha salvação.
Gosto de ajudar as pessoas.

Dia de vencer a depressão

Agradeço a Deus por mais esta oportunidade de dialogar com você. A depressão vem atingindo diversas pessoas, encobrindo seus dias com escuras nuvens. Estima-se que cerca de 20% da população mundial esteja deprimida. Isso significa que, em cada dez pessoas, duas sofrem de depressão. Não por outra razão que hoje a depressão é tida como doença e não apenas como estado de alma. Diz-se que a depressão é distúrbio da afetividade, que acarreta alteração em nosso estado de ânimo, variando de grau em cada pessoa. Pode ir desde um desalento moderado até um intenso desespero. É claro que todos nós temos durante a vida estados momentâneos de tristeza e melancolia, o que é muito natural, e isso não se confunde com a depressão. A depressão, na verdade, resulta de um estado contínuo de tristeza, uma incapacidade de sentir prazer, associada à falta de vontade de viver. Mas qual seria a causa da depressão? Segundo o doutor Marco Aurélio Dias da Silva, conceituado médico em São Paulo, os quadros depressivos comumente se instalam em conseqüência de uma situação de perda; material ou afetiva. Essa perda pode também representar um sentimento de decepção em relação aos outros ou até em relação a si mesmo[*].

Qual seria a terapia adequada para a depressão? *É de relevante importância para o enfermo considerar que não é doente, mas que se encontra em fase de doença, trabalhando-se sem autocomiseração, nem autopunição para reencontrar os objetivos da existência*[26]. Além do mais, não deve ser descartado o concurso terapêutico especializado. A vivência religiosa ajuda na recuperação, mas longe está de substituir o tratamento médico e psicológico. Entretanto, muitas vezes somente o tratamento clínico não é suficiente, pois o depressivo, como todo enfermo em geral, necessita ser visto e tratado como um todo, ou seja, como uma realidade material e espiritual. O espírito também requer cuidados, de modo que o apoio da religião é deveras importante. De grande valia, pois, é a terapia bioenergética (que se recebe na casa espírita através dos passes), e a logoterapia, isto é, a terapia centrada na busca de um sentido de vida, pois o vazio existencial pode gerar muitas neuroses. Nossa vida tem um sentido superior, temos uma missão a realizar, precisamos descobrir o que nos cabe fazer. Se estamos vivos é

---

[*] *Quem ama não adoece.* 2. ed. Best Seller, 1994. p. 144 (N.A.).

porque ainda não realizamos o sentido da nossa existência. Buscando-o, haveremos de suplantar o tédio, a nostalgia e o vazio existencial, erradicando a depressão. Se você está deprimido, busque ajuda, você merece e precisa, procure o médico de sua confiança e ele indicará caminhos seguros para sua recuperação. Encontre grupos de ajuda, que lhe serão muito úteis e não se esqueça de que há um propósito para você realizar nesta vida. A depressão talvez esteja apenas lhe mostrando isso.

Sou uma pessoa saudável.
Aceito os obstáculos da vida com
naturalidade e disposição para superá-los.
Nada me falta, pois dentro de mim
tenho o necessário para ser feliz.
Sou alegre e agradecido por tudo o que
tenho recebido de Deus.
Elimino todos os ressentimentos do meu coração.

Dia de receber Jesus em casa

Com muita alegria, desejamos que sua vida familiar seja enriquecida de paz e compreensão. Esclarece a Espiritualidade que quando um lar de amor cristão se abre na Terra, fecham-se os presídios punitivos e as casas de reeducação. O leitor certamente está se perguntando como poderá conseguir transformar sua casa num lar onde Jesus faça perene morada. Saiba que essa possibilidade está em suas mãos. Trata-se da reunião do Evangelho no lar. É um momento sublime em que a família se reúne para conversar acerca de seus problemas à luz do Evangelho de Jesus.

Pelo menos uma vez por semana, em dia e horário preestabelecidos, a família pára com suas atividades, por meia hora, aproximadamente, e todos examinam uma página dos ensinamentos de Jesus e, sobretudo, como incorporá-los na vida da família. *Dedica uma das sete noites da semana ao culto do Evangelho no lar, a fim de que Jesus possa pernoitar em tua casa*[27]. Não é uma beleza essa possibilidade concreta de ter Jesus em sua casa? Se, amiúde, permitimos que o nosso lar seja visitado por energias perniciosas, por que não deixar que Jesus encontre campo propício para estar com nossa família? *Quando a família ora, Jesus se demora em casa. E não é só isso. Quando uma família ora em casa, reunida com Jesus, toda a rua recebe os benefícios de nossa comunhão com o alto*[28]. Já imaginou se todos os lares do planeta fizessem o culto do Evangelho em casa? Devemos estudar com os familiares as lições do Evangelho, debatendo os problemas que nos afligem à luz clara da mensagem da Boa Nova.

A reunião é simples: no dia e horário combinados, a família se reúne, desligam-se a televisão e o rádio, iniciando o encontro com uma prece singela, aquela que sai do nosso coração. Logo depois, fazemos a leitura de um trecho do Novo Testamento. Se você quiser, poderá se valer da leitura seqüencial do livro *O Evangelho Segundo o Espiritismo**, de Allan Kardec, ou mesmo de outro livro de cunho evangélico do seu gosto. Feita a leitura, os participantes conversam sobre o tema em clima fraterno.

Tome cuidado para não transformar a reunião em ringue de lutas. Nada de acusar quem quer que seja. Sempre devemos fazer perguntas do tipo: "Como aplicar em nossa vida a lição comentada?", "Como melhorar o meu relacio-

---

* *O Evangelho Segundo o Espiritismo*. São Paulo: Petit Editora (N.A.).

namento dentro e fora do lar?", "O que posso fazer para tornar a minha família mais feliz?". Depois do diálogo fraterno, vamos vibrar, manifestando o desejo firme em favor da paz universal, em benefício dos enfermos, das crianças desamparadas, enfim, por todos aqueles que se encontram em situação de dificuldades. E logo em seguida encerramos a reunião com uma prece de agradecimento.

Simples, não é? Agora é com você, tome essa iniciativa de transformar sua casa num lar cristão. Esse será o primeiro passo. Se você tiver dúvidas sobre o assunto, procure orientação em alguma casa espírita do seu bairro ou de sua cidade ou escreva para nós, teremos enorme prazer em enviar-lhe o roteiro de implantação do Evangelho no lar. Jesus aguarda o seu convite.

Meu lar é moradia de Jesus.
Vibrações superiores se derramem em minha casa através do Evangelho no lar.
Desejo todo o bem aos meus familiares.

Dia da indulgência

Outro dia, lendo jornal, tive a percepção de como as pessoas criticam umas às outras. Na política, a oposição critica o partido da situação e vice-versa. O povo, por sua vez, critica o governo, mas este não deixa por menos ao criticar a população. Criticamos o vizinho, o parente, o amigo, as pessoas em geral, as religiões, enfim, a nossa lista é enorme. Há tempos houve uma polêmica sobre o lixo de uma certa localidade. O povo dizia que o governo não limpava as ruas, e o prefeito falou que era a população quem as deixava sujas. Quem estaria certo? Eu não quero entrar nessa polêmica. Quero apenas observar que o hábito da crítica está muito presente em nós. O Evangelho nos diz que somos clarividentes com os erros do próximo e cegos com os nossos.

Devemos empreender esforços para deixarmos esse terrível hábito, que nos faz pessoas ácidas, venenosas, irritadas e insatisfeitas. Afinal, ninguém gosta de uma pessoa assim, não é mesmo? E como poderíamos abandonar esse hábito? Joanna de Ângelis nos dá alguns caminhos. Ela sugere que reconheçamos os nossos próprios erros[29]. Você já fez isso? Paremos um pouco para meditar e reconhecer nossas faltas. Já nos equivocamos por diversas vezes. Já nos permitimos muitos deslizes. Por que ficarmos criticando o próximo? Não considere isso uma crítica, apenas uma lembrança da nossa condição humana, falível, frágil.

Joanna nos avisa que a crítica em nada ajudará os criticados, que se irritarão, carregando-se de ódio contra nós[30]. Ninguém gosta de receber críticas, mesmo as merecidas. Portanto, o hábito da crítica criará um campo de energias negativas ao nosso redor, atraindo, em conseqüência, forças equivalentes. É muito provável que venhamos a incidir no mesmo erro cometido pelos que hoje recebem as nossas condenações. Precisamos adquirir novos hábitos, substituindo a crítica pelo elogio. Troque a crítica pela palavra gentil, que produz melhor efeito do que a acusação. Mas se você não puder elogiar, faça silêncio e deixe que o tempo se encarregue de tudo tornar belo, útil e bom. O mundo não precisa de acusadores e censores da vida alheia. Habituemos esse juiz que há dentro de nós tão-só para observar o erro do próximo com o único propósito de melhorar a nós mesmos.

Vejo só o bem das pessoas e das situações.
Interesso-me pelo que é bom, alegre e harmonioso.
Deixo de julgar e condenar os meus semelhantes.
As pessoas são boas e amorosas e é assim que desejo vê-las.

Dia de saber e fazer

Que alegria estar ao seu lado novamente. Você talvez já deve ter ouvido uma belíssima canção de Beto Guedes, intitulada Sol de primavera. A letra é primorosa, simples e repleta de reflexões. No fim da música, depois de falar da importância do perdão, no quanto é importante manter os nossos sonhos, o compositor finaliza com uma sábia advertência: "A lição sabemos de cor, só nos resta aprender". Note quanta sabedoria há nessa idéia. O compositor faz uma diferença entre saber e fazer, distinção que nem sempre observamos. Temos conhecimento de muita coisa, estamos carregados de informações, mas nem sempre nos comportamos de acordo com o grau de conhecimento que possuímos. Sabemos, mas não fazemos. Sabemos que o cigarro é prejudicial à nossa saúde, mas nos custa abandonar o vício. Conheci um médico especialista em problemas pulmonares que era um fumante inveterado.

Sabemos que há muita coisa em nossa vida que não anda bem e temos consciência do que precisa ser feito para mudar. Contudo, entre o saber e o fazer há uma grande diferença. No mais das vezes, falta a nossa atitude. Essa é a palavra mágica: atitude. Escrevia Monteiro Lobato que nós temos muita iniciativa e pouca "acabativa". Temos ótimas idéias, mas poucas atitudes. Concebemos muitos planos, mas nem sempre executamos o que idealizamos. E aí nos sentimos frustrados. Sonhamos muito, todavia realizamos pouco ou quase nada.

É muito importante ter objetivos na vida, fazer planos, idealizar metas, entretanto todo sonho exige ação produtiva. Uma residência inicia-se na planta, porém se os pedreiros não entrarem em ação, a casa não sai do papel. Toda grande caminhada começa sempre pelo primeiro passo. Não adianta traçarmos o roteiro da viagem se não percorrermos a estrada. Certa feita, perguntaram a Chico Xavier como ele havia conseguido psicografar mais de quatrocentos livros, ao que o médium respondeu: "Ora, um por vez".

A propósito, você já pensou nas atitudes que precisa tomar em sua vida? Pode ser um curso de reciclagem profissional, deixar um vício que tanto o prejudica, um diálogo franco com o cônjuge, o desenvolvimento da religiosidade, exercitar o corpo, perdoar alguém que o ofendeu, enfim uma série de situações em que já sabemos o que precisa ser feito. Deixar para depois pode ser tarde; as possibilidades atuais poderão ser diferentes amanhã. Não adie a possibilidade de ser feliz, hoje. Isso só ocorrerá se você não tomar as decisões necessárias, agora. A toda hora moldamos o nosso destino com as nossas atitudes, ou seja, com aquilo que fazemos ou com aquilo que deixamos de fazer. Você é o construtor da sua felicidade. Desperte, trabalhe, movimente-se. Só assim você vai aprender a lição que já sabe de cor.

Sou uma pessoa realizadora.
Tomo as atitudes que me conduzem à felicidade.
Sou responsável por tudo o que ocorre em minha vida.

Dia de abandonar a tristeza

A alegria se manifestará em sua vida, esteja certo disso. Alguém escreveu que se na Terra existe algum inferno, este certamente se encontra no coração de um homem triste. A amiga espiritual Joanna de Ângelis adverte que a tristeza é grave enfermidade que devemos combater de imediato, sem nenhuma complacência. É certo que há momentos em nossa vida em que a tristeza surge, inevitavelmente. Os problemas que nos ocorrem podem gerar esse estado interior melancólico, como a perda de pessoas queridas, o aparecimento de enfermidades, o surgimento de obstáculos financeiros, desencontros amorosos e toda uma gama de aflições.

Sentir tristeza é natural, é humano. Perigoso é ser dominado por ela, estar aprisionado por uma melancolia que não cessa, que acaba governando os nossos dias, amargurando a nossa vida. Isso devemos combater com todo o nosso empenho. É preciso dominar a tristeza, vencê-la e não ser por ela vencido. É preciso reagir. Isso mesmo, reagir. *És candidato às cumeadas da montanha, e não um condenado às galés nas sombras do remorso inútil ou no charco das lágrimas perdidas. Se permaneces na situação infeliz, tornas-te vítima de ti mesmo. Todavia, se resolves por sair do caos, transformas-te em teu próprio psicoterapeuta*[31].

Empenhe-se, pois, a sair desse quadro deprimente. Se quer sair da tristeza, você pode. Manifeste sua vontade firme, decidido em vencer esse adversário cruel. A Espiritualidade nos recomenda eliminar as impressões pessimistas, cultivando idéias novas, agradáveis, positivas. É o seu trabalho de arar a terra das impressões mentais inferiores. Como um jardineiro que sabe retirar as ervas daninhas, vá alijando do seu inconsciente as idéias negativas, os pensamentos sombrios, as lembranças amargas, passando, imediatamente, a cultivar novas idéias superiores. Veja-se feliz, realizado, vitorioso, otimista. Insista nas idéias positivas, alimente-as, com insistência.

Colheremos o que plantarmos no terreno da nossa mente. É lá que a tristeza foi plantada um dia, portanto é de lá, do terreno das nossas emoções, que deve ser retirada. Se você se empenhar na lavoura dos pensamentos superiores, verá que logo mais a tristeza o abandonará. Eu espero que você esteja mais alegre, dono de si, das suas possibilidades infinitas de modificar o seu destino, agora, pensando bem e agindo bem. Por isso, como diz a canção popular, deixe a tristeza para lá...

Meu destino é a felicidade.
Liberto-me da tristeza, aceitando a alegria em minha vida.
Visualizo-me feliz, alegre, realizado e útil ao meu semelhante.

Dia da amizade

Renove as esperanças de viver. Um dos maiores tesouros que o homem possui é a amizade. Penso no assunto e me dou conta de que minha vida não seria tão agradável se não fossem as amizades que possuo. *Há, no mundo moderno, muita falta de amizade. O egoísmo afasta as pessoas e as isola*[32]. De fato, nunca como hoje as pessoas estão tão afastadas umas das outras. Não vemos mais as famílias se reunirem; as pessoas quase não se cumprimentam nas ruas. Falamos com o mundo pela internet, mas não conversamos com o nosso vizinho. O egoísmo é o grande responsável pela falta de amizade.

Cardiologistas americanos proclamam que a solidão tem matado mais pessoas no mundo do que as doenças cardiovasculares. Não por outra razão, recentes pesquisas afirmam que a amizade é capaz de prolongar a vida. Muitos estudos demonstraram os benefícios que a amizade traz à saúde. Pessoas com boas ligações sociais têm maior chance de sobreviver às doenças de alto risco, possuem um sistema imunológico mais forte, melhoram sua saúde mental e vivem mais do que as sem suporte social. Também está demonstrado que pessoas com laços sólidos de amizade são capazes de melhor transpor os naturais obstáculos da vida. *Se a amizade fugisse da Terra, a vida espiritual dos seres se esfacelaria*[33]. Devemos abrir em nossa vida espaços para o estabelecimento de amizades sólidas, sem esquecer de cultivar as já conquistadas. Cultivar amizades constitui um dever de todos nós, pois ninguém tem êxito na vida se avança com aridez na alma.

Vamos intensificar as amizades para que a nossa existência tenha mais beleza. Todo relacionamento pressupõe convivência. Mantenha contato com seus amigos. Se não for possível o contato pessoal, utilize o telefone, a carta e também o e-mail. Abra sua casa para os amigos, marque um encontro para um jantar ou pelo menos para um simples cafezinho. Convide-os para uma caminhada ou para um cinema. Não se esqueça das datas de aniversário dos seus amigos e esteja sempre presente nos momentos em que eles estiverem em dificuldades. Ofereça o ombro amigo, pois amanhã pode ser você quem estará chorando. É nessas horas que percebemos o quanto uma bela amizade é fundamental em nossa vida. Abra-se para o mundo e para as pessoas, cultive boas amizades para que seu dia seja mais feliz. Estão aí algumas sugestões para que você conquiste e mantenha suas afeições. Disso dependerá a sua felicidade.

Sou uma pessoa aberta a novas amizades.
Gosto dos meus amigos e desejo todo bem a eles.
Pelas amizades vou sentindo alegria e felicidade na vida.

Dia da imortalidade

Seu espírito superará todas as adversidades. Um dos postulados no qual se assentam muitas doutrinas religiosas se refere à noção de imortalidade do espírito. Nossa realidade não é apenas material; a aventura não começou no berço, nem terminará no túmulo. Não somos um corpo de carne, ele apenas se apresenta como uma roupa que vestimos enquanto for necessária a nossa permanência no mundo físico. Mas um dia deixaremos essa roupagem, sem que isso signifique desaparecermos para sempre. Não há o fim. Somos imortais. Essa noção é muito antiga, e grande parte das religiões a referendam. Contudo, o que me chama a atenção é que, apesar de sermos imortalistas, como são os espíritas, os católicos, os protestantes, os budistas e tantos outros religiosos, não vivemos de acordo com esse princípio. A imortalidade parece ser um conceito teórico, não é algo que incorporamos em nosso cotidiano. Você já pensou como seria diferente a nossa vida se de fato vivêssemos como espíritos eternos? Imagine-se eterno, sem fim, imortal. Qual a sensação que lhe dá? Não é de grandeza, de força, de amplitude? Agora perceba como ficam os seus problemas diante da eternidade; todos eles passarão e só você sobreviverá. Não fica tudo muito pequeno? Que mal poderá lhe ocorrer se você é um ser que nunca vai se acabar? Nenhum, é a resposta. Que doença poderá consumi-lo, se você é indestrutível? Diante da imortalidade, tudo fica relativo, tudo é muito pequeno, tudo é passageiro. E seus títulos, suas posses, sua fortuna ou sua miséria, como ficam? Para o outro lado da vida, não levaremos nossas riquezas materiais, nossos cargos, nossos títulos acadêmicos. Tudo fica, tudo passa, só o espírito é eterno. O que vale são as aquisições interiores, a riqueza espiritual, a nobreza de caráter. Regressaremos ao mundo espiritual com o que construímos por dentro.

Diante da imortalidade, nossos conceitos de nacionalidade se perdem, pois não há país, não há pátria, só há o Universo. Aliás, a palavra "Universo" expressa esse sentido, um verso, um único lado. Em face da imortalidade, nossa idéia de família carnal se esvazia, já que descobrimos que somos partes da grande família de Deus. Diante da eternidade, sabemos que a morte não é o fim, mas apenas a mudança de estado vibratório. Não há morte, apenas mudança. Diante da imortalidade, não há dramas, apenas desencontros, não há quedas, apenas estagnação, não há propriedade, apenas uso. Diante da eternidade, ninguém é de ninguém, somos apenas companheiros de viagem.

Não há raça, nem credo, apenas formas diferentes de ver a mesma realidade. Esses conceitos mudariam inteiramente a nossa vida se passássemos a viver como espíritos imortais. Ser espiritualista é viver centrado no espírito, não na matéria como costumeiramente ocorre. Observe-se, sinta-se espírito imortal, viajor das estrelas, caminheiro da eternidade. O dia de hoje é apenas um dos capítulos de uma história iniciada na noite dos tempos e sem data para terminar.

Minha natureza é eterna.
Sobreviverei a todas as dificuldades.
Sou maior que tudo, sou infinito, eterno,
maior do que o próprio tempo.

Dia de abandonar a guerra

Desejo que sua vida seja rica de paz e alegria. Vivemos tempos de guerra. Infelizmente, o homem ainda não aprendeu a viver em paz. Duas grandes guerras não foram suficientes para nos situar no caminho da paz. Temos a tendência de achar que somos superiores ao outro, que há uma raça superior à outra, que alguém tem o direito de ditar os destinos do outro. Pensamos, orgulhosos, que temos a exata noção do que seja correto, ignorando, por completo, que cada um tem a sua verdade. Gandhi, ao ser indagado sobre qual era o caminho da paz, afirmou que a paz era o caminho. Notem que observação sábia, não há um caminho para a paz, a paz é o caminho. Ainda cremos no direito da força e não na força do direito. *Por enquanto, o amor não conseguiu emular* os grandes grupamentos, encorajando-os à recíproca fraternidade, o que facultaria a solidariedade, mediante cuja contribuição os muitos males que desarvoram os Estados seriam debelados*[34]. Cremos, por isso, que vivemos tempos de guerra porque ainda não aprendemos a amar. Ainda não experimentamos a solução do amor para os nossos problemas.

E não falo só dos problemas mundiais, como a guerra, a fome e a miséria. Falo, também, dos nossos problemas individuais, das nossas guerras internas, de onde partem todos os conflitos maiores, que ainda não receberam o amor por solução. Toda guerra tem origem no ser individual que ainda não aprendeu a amar. O somatório de toda a nossa agressividade individual é que dá origem aos conflitos mundiais. No dia em que formos seres amorosos, não haverá espaço para a guerra. Poderão surgir líderes guerreiros, que, todavia, não encontrarão campo para a disseminação de suas idéias assassinas.

Se queremos acabar com as dissensões no mundo, deixemos a paz e o amor tomarem conta do nosso mundo interior. Esse amor deve começar em nós, cada um só dá aquilo que tem. Se você começar se amando, acabará com suas guerras interiores, deixará de ser seu próprio inimigo, estará se apoiando todos os dias. Estando em paz consigo mesmo, o relacionamento com o próximo será marcado pelo mesmo amor que o envolve. A guerra separa, o amor

---

* Esforçar-se para a realização de um mesmo objetivo (N.A.).

une. A guerra enfraquece, o amor fortalece. A guerra mata, o amor vivifica.

Comece a mudar o mundo por seu mundo interior. A necessidade de predomínio sobre o outro indica a nossa fragilidade interior. Quando pretendemos ser superiores, exibimos a nossa fraqueza. Quando criticamos o próximo, demonstramos que valorizamos o mal que ainda há em nós. Quando armamos ciladas, evidenciamos nossa insegurança emocional. Toda arma é sinal de fraqueza. Jesus advertiu Simão Pedro: "Embainha tua espada". Deixemos as nossas armas, deixemos a guerra interior, vamos dispar os canhões do amor com mísseis da paz, carinho e fraternidade. Acabemos com as nossas guerras e o mundo se tornará um lugar aprazível de viver. Hoje você poderá deixar o mundo mais pacífico; com quem estiver e por onde for, leve a paz no coração.

Sou uma pessoa pacífica.
O amor me acalma e me deixa feliz.
Sinto paz em meu coração.
Terei um dia tranqüilo e sem discussões.

Dia da afirmação positiva

Seu caminho vai se abrindo a novas possibilidades de progresso. Afirmam, com razão, que o homem é aquilo que pensa ser. Tudo o que ocorre em nossa vida ocorreu primeiramente em nosso pensamento. O mundo mental governa o mundo físico. O pensamento é força criadora, indiscutivelmente. Recebemos o que damos, insistimos na idéia. *O homem pode ser considerado o pensamento que exterioriza, fomenta e nutre. Conforme a sua paisagem mental, a existência física será plasmada, face ao vigor da energia direcionada*[35].

Se queremos mudar algo em nossa vida, devemos iniciar pela mente, mudar o pensamento, que é a causa, para sentir a mudança na esfera exterior. Se você for realizar uma prova com pensamentos negativos, o desempenho será um fracasso. Se tiver pensamentos de mágoa, raiva, culpa, sua saúde acusará o desequilíbrio da mente. Se você pensa que nasceu para sofrer, sua vida será sofrimento. Tudo está em nós, tudo principia em nós, por isso, qualquer mudança real só pode iniciar em nós mesmos. Você encontrará neste livro um capítulo específico sobre o pensamento, por isso, não deixe de ler.

Agora quero lhe propor alguns pensamentos positivos, que você poderá usar diariamente em substituição aos negativos que tem alimentado até o momento. Faça essas afirmações positivas, sempre que possível, com confiança e como se você já estivesse vivendo uma vida de paz, harmonia, saúde e prosperidade. Essas afirmações, desde que sentidas por você como reais, como se elas já fossem o espelho do que você é ou deseja ser, acabarão por marcar o seu subconsciente com os conteúdos positivos e se tornarão fatos concretos em sua vida. Incorpore esse hábito em seu modo de viver. Da mesma forma que nos permitimos cultivar pensamentos negativos, vamos adotar padrões mentais superiores, com o que haveremos de ter um dia feliz. Faça uma faxina mental, purifique a mente com idéias felizes. Diga para você mesmo e sinta:

Tenho confiança em mim mesmo.
Sou uma pessoa de valor, merecedora de felicidade.
Sou capaz de resolver qualquer obstáculo que surgir.
Sou rico de saúde.
Todos os meus órgãos funcionam em harmonia.
Sou uma pessoa próspera.

O Universo me traz um bom emprego,
um bom trabalho, traz-me a riqueza da vida.
Sou uma pessoa criativa, alegre e
mereço o que há de melhor na vida.

Se você fez as afirmações, perceberá as sensações de paz, alegria e confiança na vida. Assim pensando, sua existência será o reflexo do que você é por dentro, de sua mente, de seu mundo. É assim que o dia nasce feliz.

Dia da verdade

Estamos juntos para mais esse encontro de luz. Quero lhe contar uma história que circulou na internet, cujo autor não foi revelado. Preste bem atenção, tenho certeza de que você vai gostar.

"Era uma vez uma moça que estava à espera de seu vôo, na sala de embarque de um grande aeroporto. Como ela deveria esperar muitas horas pelo vôo, resolveu comprar um livro para passar o tempo. Comprou, também, um pacote de bolachas. Sentou-se num banco, na sala de espera, a fim de que pudesse descansar e ler em paz. Ao seu lado sentou-se um homem. Resolveu abrir o pacote de bolacha e quando pegou a primeira, o homem também pegou uma. Ela se sentiu indignada, porém nada disse. Apenas pensou: 'Mas que cara de pau! Se estivesse mais disposta, eu lhe daria um soco no olho para que ele nunca mais esquecesse!!!'. A cada bolacha que ela pegava, o homem também pegava uma. Aquilo a deixava tão agastada, que não conseguia nem reagir. Quando restava apenas uma bolacha, ela pensou: 'O que será que este abusado vai fazer agora?'. Então o homem dividiu a última bolacha ao meio, deixando a outra metade para ela. Ah!!! Aquilo era demais!!! Ela estava bufando de raiva. Pegou o seu livro e as suas coisas e se dirigiu ao local de embarque. Quando ela se sentou, confortavelmente, numa poltrona, já no interior do avião, olhou dentro da bolsa para pegar uma bala, e, para sua surpresa, o pacote de bolachas estava lá... ainda intacto, fechadinho!!! Ela sentiu tanta vergonha! Só então percebeu que a errada era ela, sempre tão distraída! Ela havia esquecido que suas bolachas estavam guardadas, dentro da sua bolsa... O homem havia dividido as bolachas dele, sem nenhuma irritação, enquanto ela se transtornara, pensando estar dividindo suas bolachas com ele. E já não havia mais tempo para se explicar, nem para pedir desculpas".

Não raro, agimos assim, comemos as bolachas dos outros, e não temos consciência disso. Antes de concluir, observe melhor! Talvez as coisas não sejam exatamente como você imagina. Não pense o que não sabe sobre as pessoas. Nem sempre as aparências demonstram a realidade. Com freqüência, as aparências são apenas aparências. Não julgue precipitadamente, aliás, de preferência não julgue, observe apenas. Olhe sem tirar conclusões. Nem tudo o que reluz é ouro, diz um antigo ditado. Nunca tire conclusões apressadas, pois você correrá o risco de emitir uma falsa opinião. E, além do mais, existem quatro coisas na vida que jamais voltam: a pedra depois de lançada, a palavra depois de proferida, a ocasião depois de perdida e o tempo depois de passado.

Sou uma pessoa observadora.
Abandono a crítica e a precipitação.
Abandono todo e qualquer preconceito.

Dia de esperança

Hoje é o dia em que a esperança vai estar presente em sua vida. Sabemos que, amiúde, passamos por momentos de dificuldades. São os problemas no lar, as dificuldades econômicas, os problemas com a saúde e uma infinidade de desafios. Diante de um panorama sombrio, temos a natural tendência de nos abater, de mergulharmos na tristeza e entregar os pontos. Mas eu gostaria que você considerasse outros aspectos para sair desse desânimo.

A Espiritualidade nos propõe lembrar dos que padecem dores maiores que as nossas. Haverá alguém que está em pior situação do que nós, sempre. Essas pessoas dariam tudo para experimentar nossas dificuldades. Não quero menosprezar a sua dor; todavia, para sair dela, um bom caminho é notar que você poderia estar em situação mais penosa. Se você está tendo a oportunidade de ler um livro como este, sua situação é bem melhor do que de milhares de pessoas que jamais lerão uma linha sequer. Mais importante, porém, do que simplesmente observar, é ajudar os que atravessam o rio das dificuldades. Ajudando-os, estaremos ajudando a nós mesmos.

Nas palestras que venho desenvolvendo, concluo que o maior beneficiado delas tem sido eu mesmo. Quantas vezes estou desmotivado, preocupado, porém ao cabo da palestra, vejo-me com as energias redobradas e o ânimo restaurado. Meus dois livros anteriores já venderam, juntos, mais de cem mil exemplares. A experiência dos editores tem mostrado que o número de leitores de um livro é quase três vezes o número de exemplares vendidos, o que significa dizer que por volta de trezentas mil pessoas já tenham lido minhas obras. No entanto, a pessoa que mais se valeu dos livros fui eu. Ao escrevê-los, notei pontos importantes da minha personalidade que estavam merecendo transformações. Ajudei, mas antes fui ajudado. Chico Xavier repetia: "Quando a vida está por um fio, o trabalho engrossa o fio".

Outra observação importante para manter a esperança consiste em não perder tempo relacionando dissabores. Temos o hábito de ficar contando e recontando nossos problemas. Quanto mais falamos no problema, mais ele aumentará. Quanto mais nos fixamos na dificuldade, mais ela crescerá. É como o fermento do bolo, que o faz crescer. *Elimina, do teu vocabulário, as frases pessimistas habituais, substituindo-as por equivalentes ideais. Não digas: "não posso", "não suporto mais", "desisto". Faze uma mudança de paisagem mental e corrige-a por outras: "Tudo posso, quando quero",* "*suporto tudo quanto é para o meu bem*" e "*prosseguirei ao preço do sacrifício, para a vitória que persigo*"[36]. Surgido o problema, devemos buscar as soluções possíveis e não ficar relembrando, a todo momento, as agruras do caminho. Devemos imaginar um novo dia, um amanhã melhor, uma nova oportunidade de ser feliz que virá logo mais. A isso se chama esperança, uma virtude que devemos cultivar todos os dias e que nos será forte aliada nos momentos de dor e sofrimento. Tudo passa, não há dor que não cesse. Devemos seguir adiante, sempre, mesmo que em meio às maiores dificuldades. Mas se a noite escura se aproximar de você, lembre-se de que logo mais a aurora de um novo dia chegará e que o sol de Deus, em breve, nos trará novo dia. Desesperar, jamais.

Mantenho acesa a luz da esperança.
Confio na Sabedoria Divina, que me orienta
em todos os passos da vida.
Tudo está ocorrendo para o melhor.
As dificuldades são passageiras.
Sinto que Deus me ama e me inunda de esperança.

Dia de perdoar

Deus enriquece a sua vida de amor e paz. Hoje é dia de pensar no perdão. Quando penso nesse assunto, noto que, em regra, assumimos posturas contraditórias: desejamos ser perdoados, todavia nos custa perdoar. É muito nobre quando alguém pede perdão por suas faltas. Chegar à pessoa a quem prejudicamos e pedir desculpas revela a nossa condição humana. Quem pede perdão admite que não é perfeito, que erra e se engana. É um ato de humildade; reconhece-se a própria fragilidade. O orgulho nunca nos dá nada de bom, só nos isola das pessoas, situa-nos numa posição de falsa superioridade. Pedir perdão não é demonstração de fraqueza; ao contrário, revela a nossa grandeza de alma. É importante reconhecer que não sou o bom, o maravilhoso, mas que sou alguém como todo mundo, com erros e acertos. Será que você tem necessidade de desculpar-se com alguém? Que tal você aproveitar este dia para desfazer esse nó que tanto o incomoda? Não deixe para amanhã. Tome a decisão de pedir perdão e você verá o quanto isso lhe fará bem ao coração.

Agora, se você é quem foi prejudicado, sente-se magoado, ferido, é bom considerar que o perdão também é indicado no seu caso. Aconselha Joanna de Ângelis que o perdão é sempre melhor para quem perdoa. Isso se explica pelo fato de que o perdão liberta o ofendido dos laços mentais que mantinha com o ofensor. Enquanto não perdoarmos, ficaremos ligados com a pessoa que nos prejudicou, formando uma cadeia indissolúvel de ódio e revolta. Essa cadeia tem uma energia, que é negativa, a envolver ofensor e ofendido num clima vibratório nada agradável. O ódio e a mágoa nos aprisionam ao passado, não nos deixam progredir, a vida fica amarrada, nossos projetos não decolam, nossos relacionamentos não fluem. É como se houvesse um nó no fio da nossa vida. E só o perdão arrebenta esses laços destrutivos.

Quando alimentamos mágoas e ressentimentos por algum tempo, estamos prejudicando também a nossa saúde. Perdemos o apetite, desenvolvemos úlceras, poderemos experimentar insônia, enxaqueca, alterações da pressão arterial e tantos outros distúrbios na saúde. Mágoas e ódios são venenos. Alguém já disse que guardar ressentimento é o mesmo que tomar veneno e querer que o outro morra. Acredita-se, mesmo, que o ódio e a mágoa são poderosos venenos que podem diminuir o número de anos que teríamos pela frente. Não é apenas figurativa a idéia de que alguém morreu de raiva. Quem não perdoa, por certo está se prejudicando. Além do mais, devemos nos lembrar que só seremos perdoados dos nossos erros quando perdoarmos os erros do próximo. O perdão é uma via de mão dupla: só se é perdoado quando se perdoa. Recebo aquilo que dou, eis a lei que Jesus ensinou: "Perdoai as nossas dívidas assim como perdoamos aos nossos devedores".

Uma forma eficiente de nos ajudar a perdoar consiste em lembrarmos dos nossos próprios erros. Somos criaturas falíveis, também ofendemos o nosso próximo. Então, por que não perdoar se eu também preciso de perdão?

Será que há pessoas que você precisa perdoar? Eu acredito que você deve ter pelo menos alguém a perdoar. Então não espere mais um minuto para experimentar essa força fantástica que se chama perdão. Lembre-se de que, ao perdoar você não estará fazendo um favor aos que o ofenderam; estará, sim, libertando-se dos tristes episódios que o infelicitaram e que ainda ocupam grande espaço em sua vida. Tenho certeza de que sua vida será outra se você perdoar do fundo do seu coração. Cure-se pelo perdão.

Eu perdôo todas as pessoas que, por ignorância, prejudicaram-me.
Desejo o bem a todos os que não me compreendem.
Liberto-me de todas as experiências amargas.
Liberto-me do ódio e da mágoa.
Estou em paz com o mundo.

Um dia com Madre Teresa de Calcutá

Renovamos nossa esperança de uma vida alegre e feliz. Neste mundo de tanto pessimismo, de exploração das tragédias e das personalidades doentias, trago a você alguns pensamentos de Madre Teresa de Calcutá, esse espírito bondoso que nasceu na Albânia, em 1910, e que viveu na Índia uma das maiores histórias de amor que se tem notícia na face da Terra. Em 1979, ganhou o prêmio Nobel da Paz e obteve reconhecimento internacional pelo trabalho missionário junto aos milhares de miseráveis que viviam e morriam nas ruas da Índia. Apresentaram a ela algumas perguntas sobre temas importantes e Madre Teresa deu respostas que eu considero das mais relevantes para uma vida feliz. Eu o convido a examinar um pouco do pensamento dessa mulher notável, e veja como poderá fazer deste dia um dia feliz.

— Irmã, qual o dia mais belo?
— O dia mais belo se chama hoje.
— Qual o maior obstáculo?
— O maior obstáculo do homem é o medo.
— E qual o maior erro?
— O abandono.
— Qual a raiz de todos os males?
— É o egoísmo.
— Qual a distração mais bela, irmã?
— O trabalho.
— O que mais traz felicidade ao homem?
— É ser útil aos demais.
— O pior defeito?
— O pior defeito do homem é o mau humor.
— O presente mais belo?
— Eu acho que o perdão é o presente mais belo que um homem pode dar ao seu semelhante.
— O mais imprescindível?
— O lar se constitui na tarefa mais imprescindível ao ser humano.
— E qual seria a proteção mais efetiva?
— O sorriso.
— O melhor remédio que poderíamos tomar?
— O otimismo.
— E qual a força mais potente do mundo?
— A fé.
— A mais bela de todas as coisas?
— O Amor.

Ofereço a você esses pensamentos iluminados. Que eles possam clarear a sua vida, tornando-a mais bela, útil e amorosa. Basta seguirmos os conselhos de Madre Teresa de Calcutá, preenchendo o nosso dia com paz, alegria, fé, amor e trabalho no bem. É assim que o dia nasce feliz.

Sou uma pessoa amável.
O amor me inspira em todos os momentos.
Tenho prazer em ajudar o meu semelhante.
Sou uma pessoa otimista, tudo está cada dia melhor.

Dia de estar em boa companhia

Estou confiante em que suas ações estarão envolvidas em paz e alegria. Durante a nossa jornada, vamos nos aproximando das pessoas, primeiramente na família, e depois na escola, no trabalho e na própria comunidade em que estivermos inseridos. Embora conhecemos muitas pessoas, somente algumas delas serão nossas companheiras, ou seja, aquelas que estarão mais próximas de nós em variados momentos da existência. Algumas chegam, outras vão, mas sempre teremos, em maior ou menor número, pessoas que estarão dispostas a nos acompanhar. Essa seleção se dá pela afinidade. Uma pessoa com idéias criminosas, procurará estar acompanhado de alguém que partilhe das mesmas intenções. Já uma pessoa interessada em assuntos científicos procurará companhias afins. Os que gostam dos alcoólicos procurarão pessoas de semelhante gosto.

Observe que a nossa felicidade também depende do tipo de amizades que escolhemos. Por isso, há necessidade de escolher nossas companhias, pois *ninguém é tão independente e pleno que não corra o perigo de contaminar-se, com aqueles que estagiam e se comprazem na delinqüência ou na insensatez viciosa*[37]. Isso quer dizer que as companhias que temos podem influenciar positiva ou negativamente a nossa vida. Os antigos diziam: *Junte-se aos bons e será um deles*. E poderíamos completar: *junte-se aos maus e se tornará um deles*. É claro que não devemos tratar as pessoas menos felizes com indiferença e descaso. Joanna nos recomenda gentileza para com eles, sem que isso signifique partilha de vida. Chico Xavier visitava, amiúde, as casas de prostituição e os presídios, levando palavras de amparo, esperança e solidariedade.

Se queremos melhorar a nossa vida, passemos a melhorar a qualidade das nossas companhias. Aproxime-se dos bons, dos que apreciam as artes, a cultura, a ética, a educação, os nobres princípios morais e religiosos. Freqüentemos os ambientes de estudo, os grupos de autoconhecimento e de desenvolvimento espiritual, as instituições que propiciam serviços beneficentes, enfim, você encontrará muitas oportunidades de conhecer pessoas nobres que enriquecerão sua vida. Não são pessoas santas, por certo, mas comprometidas com objetivos superiores. Tudo na vida está à nossa disposição, o Universo é rico, abundante, basta que saibamos procurar as riquezas espirituais nas fontes certas. A amizade é uma benção em nossa vida, estar cercado de boas pessoas só enriquecerá nossa existência. Ninguém é tão perfeito que possa dispensar o auxílio do outro para progredir. Esteja em companhia dos alegres, e a alegria se fará presente em sua vida. Permaneça ao lado das pessoas otimistas, e a fé nascerá em seu caminho. Escolha a companhia dos cultos, e a sabedoria chegará até você. Junte-se aos solidários, e a solidão deixará você. Perceba que escolher boas companhias é escolher uma vida de alegria e felicidade. Entretanto, sempre que a vida o situar ao lado de alguém que não lhe pareça boa companhia, procure irradiar bondade e simpatia, a fim de que você conquiste um novo amigo pelo amor que há em seu coração.

Escolho boas companhias para mim.
As pessoas que cruzam o meu caminho me proporcionam aprendizados importantes.

Dia de descobrir

Desejo que a paz e a luz habitem seu coração. Quero lhe contar uma história. Narra-se que havia um homem chamado Ali Hafed, que morava num belo país. Fazendeiro, vivia contente com o que possuía. Tinha esposa, filhos, saúde e terras produtivas. Certo dia, um amigo vindo da cidade começou a falar sobre diamantes, algo de que Ali Hafed jamais ouvira falar. E o amigo falava das maravilhas que eram os diamantes. A partir de então, Ali Hafed passou a sentir-se por demais descontente com a sua vida e, vendendo tudo o que possuía, deixando a própria família, percorreu o mundo à procura das pedras preciosas. Mas sua busca foi em vão. Tudo gastou e nenhuma pedra encontrou. Deprimido, Ali Hafed lançou-se ao mar e morreu. Nesse ínterim, o homem que adquiriu os bens de Ali Hafed achou uma linda pedra negra na fazenda onde Ali morava com a família. Descobriu-se que era um diamante precioso, e o local onde a pedra foi encontrada se transformou na maior mina do mundo.

Assim se dá conosco. Quantas vezes não reconhecemos que a felicidade, o diamante mais ambicionado pelo homem, encontra-se mais perto do que se imagina. Estamos sentados em cima da mina de diamantes e não a reconhecemos. Por isso, é importante constatar que a felicidade nasce no solo da terra onde Deus nos plantou. Em regra, queremos fugir dos ambientes em que a vida nos situou. Implicamos com a nossa família, pensando que a família do próximo é melhor do que a nossa. Não gostamos do nosso trabalho e freqüentemente pensamos que o emprego do amigo é melhor que o nosso. Criticamos o país, julgando que outros são melhores. E assim vamos vivendo sem florescer onde Deus nos plantou. Mas é bom pensar que a vida não erra conosco. Tudo está certo em nossa vida: nascemos no local adequado, com os familiares certos, no país conveniente, temos o emprego de que precisamos e assim por diante. Está tudo certo. Só não está certo o inconformismo, a insatisfação que emperra nossa vida. Mas quando afirmamos: está tudo bom, está tudo bem, a vida vai para frente e começamos a achar os diamantes que estavam bem na frente do nosso nariz.

Pergunte-se todos os dias: Como posso florescer no lugar em que a vida me colocou?. Devo enxergar tudo bem, a minha família está bem, o meu trabalho é muito bom, a minha empresa está indo bem, está tudo bom, meu país é uma maravilha. Eu só vejo o progresso das coisas e das pessoas, a beleza das idéias e dos sentimentos, só o bem me interessa. Eu não quero andar olhando para a lama, mas quero estar de cabeça erguida vendo as estrelas do céu. Ah, como a vida é boa, o mundo está aí, com mil possibilidades de crescimento, de modo que nós vamos deixando essa reclamação toda, esse desalento, essa preguiça interior e vamos cuidando da vida com alegria e entusiasmo, pois se a vida não puder ser vivida assim, cheia de alegria interior, não tem razão de ser esse mundo de sacrifícios e dores que inventamos para nós. Descubra os tesouros enterrados dentro de você mesmo.

Descubro que minha vida é rica de oportunidades de progresso.
Descubro a cada dia uma nova oportunidade de crescimento.
Sou uma pessoa próspera, cheia de contentamento por tudo o que me ocorre na vida.

Dia de desapego

Gosto muito de uma canção de Lulu Santos chamada Como uma onda, que você talvez conheça. A música começa com a seguinte estrofe: "Nada do que foi será de novo do jeito que já foi um dia, tudo passa tudo sempre passará, a vida vem em ondas como o mar, num indo e vindo infinito. Tudo o que se vê não é igual ao que a gente viu há um segundo, tudo muda o tempo todo no mundo". O compositor mostra a impermanência da vida, ou seja, as constantes transformações a que tudo e todos estão sujeitos. Tudo passa, tudo sempre passará. A vida vem em ondas, ou seja, hoje estamos de um jeito, amanhã de outro. Hoje temos saúde, amanhã enfermidade. Hoje moramos numa cidade, amanhã estamos em outro país. Hoje temos o convívio de uma pessoa querida, amanhã ela nos deixará. Hoje temos prestígio social, amanhã estaremos no anonimato. Hoje temos posses, amanhã as finanças estarão em crise. Tudo muda. A vida vem em ondas, horas de mar calmo, períodos de mar agitado.

Todavia, nem sempre nos preparamos para as inevitáveis mudanças, temos um sentimento de apego muito forte. Joanna nos esclarece que esse apego às pessoas e coisas é o grande responsável por muitos sofrimentos[38]. O apego representa a ilusão que temos para deter a marcha dos acontecimentos.

Para viver sem sofrimento devemos evitar o apego exagerado às pessoas e às coisas. Não é viver indiferente, sem paixão, sem intensidade. É viver sem o sentido de posse. É viver aproveitando cada experiência, cada relacionamento, como se fosse a última vez que você estivesse naquela situação. Se soubesse que hoje seria o último dia de sua vida, como você se comportaria? Ligaria para quem? Declararia seu amor a alguém? Pediria perdão? Perdoaria? Visitaria algum amigo? Abraçaria seu filho, sua esposa, seu marido? Ouviria sua música preferida? Isso é viver cada segundo da sua existência como se fosse a própria eternidade.

Lembre-se, você é apenas um passageiro da vida. Sinta-se como uma onda no mar, um dia as areias da praia receberão seus braços. Não se apegue a nada. Nada lhe pertence definitivamente. As pessoas da sua família não são sua propriedade, apenas lhe fazem companhia na grande viagem que fizemos a este planeta. O dinheiro, o poder, o prestígio social, a cultura e a própria beleza são ferramentas que a vida nos emprestou para alcançarmos o desenvolvimento das nossas potencialidades. Você não é o seu carro, a sua empresa, a sua família, a sua religião, o seu país, o seu clube esportivo, os seus títulos acadêmicos. Não somos donos de nada, temos apenas a posse temporária dos bens e o convívio momentâneo das pessoas. Se assim conseguirmos viver, nossa vida ganhará paz e alegria, valorizando cada oportunidade que surgir em nosso caminho, bem como cada pessoa que atravessar o rio da nossa existência. Somos viajantes do Universo, passageiros com a missão de aproveitar as estações da vida, vivendo-as em plenitude, para um dia retornarmos ao país de origem e dizermos da nossa viagem: "valeu a pena".

Nada na vida me pertence, sou apenas usuário dos bens.
As pessoas são livres, podem seguir seus caminhos.
Aceito as mudanças que a vida me traz.
Nada espero das pessoas, deixo cada um partir na hora que desejar.

Dia de prosseguir

Receba a minha saudação de paz, certo de que o amor se manifestará em seu caminho, ainda hoje. Há momentos em nossa existência que, diante das dificuldades, pensamos em desistir, parar, abandonar a luta. Muitos dizem: vou entregar os pontos. Mas seria importante considerar que a vitória não vem sem o nosso esforço constante. A persistência e a perseverança são a chave para a vitória. No mais das vezes, estamos muito próximos do êxito, e abandonar a luta seria declarar o próprio fracasso a poucos metros da vitória. O sábio Yogananda afirmou que os santos são pecadores que não desistiram: "Quaisquer que sejam as suas dificuldades, se não desistir, você estará progredindo na sua luta contra a corrente. Lutar é ganhar a graça de Deus"*.

* *Onde existe luz*. Organização Self-Realization Fellowship,

De fato, na vida das pessoas de sucesso, vamos encontrar momentos de erros, quedas, dificuldades sem conta. Você sabia que em 1958, um empresário artístico despediu o ator Clint Eastwood com a seguinte afirmação: "Você tem um defeito no dente, um pomo-de-adão protuberante e fala muito devagar"? E como Clint não desistiu, tornou-se um dos grandes astros do cinema*. Essa é a história de muitas pessoas que não desistiram diante dos insucessos, que jamais abandonaram o barco na hora da tempestade. Vieram os ventos fortes, as grandes ondas, o mar agitado, mas permaneceram firmes nos ideais que abraçaram e por isso, tornaram-se pessoas especiais.

Você, que está com este livro nas mãos, que muitas vezes está pensando em abandonar a vida, que está cansado, desanimado, pronto a entregar os pontos, agora é a hora de prosseguir. Como afirmou Yogananda, quem persiste está progredindo, está vencendo a corrente adversa. Agora, quem deixa de lutar é levado pela correnteza para as águas profundas do desespero. Nunca desanime, não entregue os pontos, por pior que lhe pareça a situação. Se você está enfermo, não desista do tratamento médico, não descreia da medicina, tampouco ignore a força curativa que há dentro de você. Quando você desiste da cura, todas as suas células obedecem ao seu desejo. Se você acreditar na doença, a doença tomará conta de você. Se você está em dificuldades financeiras, não desista. O socorro não chega a alguém que já se deu por vencido. O Universo ajuda os

---
1997. p. 107(N.A.).
* CANFIELD, Jack e HANSEN, Mark Victor. *Histórias para abrir o coração*. Rio de Janeiro: Ediouro. Volume 2, s.d. (N.A.).

que ainda acreditam que podem vencer, por pior que seja a situação.

    Se você crer no fracasso, o fracasso se fará presente em sua vida. Ensina Yogananda que lutar é ganhar a graça de Deus. Se queremos a ajuda de Deus para solucionar os nossos problemas, deveremos conquistá-la pela luta, pelo trabalho contínuo das nossas mãos operosas, tal como o lavrador que sabe que a terra só produz se for cultivada. Esse é o recado que o Universo deixa a todos nós neste dia. Vamos em frente, vamos à luta, que a vitória está próxima.

> Sou uma pessoa perseverante.
> Tenho garra e determinação.
> Sou capaz de vencer os obstáculos que
> se apresentarem em meu caminho.
> Sou filho de Deus, digno do que há de melhor no Universo.

Dia de se dar força

As estrelas do céu brilham para você, incentivando-o a superar os desafios da vida. Queremos que seu dia seja muito bom. Falo no plural, porque sei que não apenas eu desejo o seu bem, mas todas as forças do Universo desejam o melhor para você, a fim de que renove a esperança de viver, que tenha confiança em si mesmo. É assim que começamos um dia novo, alimentando a mente de idéias novas, idéias positivas, idéias de progresso material e espiritual. Toda renovação começa sempre pelo pensamento. Ninguém muda se não muda os pensamentos.

Hoje quero iniciar o dia bem, estou vendo que tudo está bem, que tudo vai dar certo. Não vou me preocupar com a maldade, com as guerras, com os crimes, com as tragédias, com o desemprego, com as doenças, com os juros altos, eu vou é para frente, não vou me preocupar com essas coisas negativas. É claro que vou cuidar de mim, vou ser prudente, mas não quero ser um depósito do lixo do mundo. Vou enfrentar as dificuldades do caminho. Aliás, o mundo não tem dificuldades, o mundo tem desafios. Não é bonito isso, meus amigos? A vida tem desafios; problemas são apenas mestres do nosso desenvolvimento material e espiritual. E eu estou aqui no mundo é para vencer desafios, superar adversidades, resolver problemas.

Vou deixar essa tristeza de lado, porque se ficar do lado dela vou me entristecer mais ainda. Não vou dar ao problema uma dimensão maior do que ele tem. Aprecio este sábio pensamento: "Não diga a Deus que você tem um grande problema, diga ao seu problema que você tem um grande Deus". Não é forte essa idéia?

Essa visão nos dá uma força interior muito intensa, porque nada pode nos derrubar. Jamais vou desaparecer, por isso, pode ser o problema que for que vou dar cabo dele. Você já reparou no jogador de futebol que durante a partida está numa situação difícil, sem saída? Parece que ele não tem para onde ir, mas de repente dá um drible; todo mundo pensava que ele ia para a direita e, sem ninguém esperar, escapa para outro lado. Vamos dar um drible nos problemas, vamos usar a criatividade, vamos sair do comodismo, vamos buscar novos caminhos. Ponha o foco na solução, não nos problemas.

Tenho um amigo engenheiro, que trabalhava numa construtora e vivia trancado em seu gabinete; gostava mais de números do que de pessoas, homem de pouca conversa. De personalidade rígida, detestava improvisos, queria tudo muito certo, planejado, como se a vida fosse um cálculo matemático. Veio, porém, o desemprego, dois anos sem trabalho. Desesperado, disse-lhe para mudar de atividade, no que ele protestou. Mas a necessidade fez com que ele aceitasse minha idéia. Abriu com a esposa um pequeno comércio; ela cozinhava e ele se encarregava de vender salgadinhos. Era obrigado a desenvolver habilidades que não tinha para trabalhar com o público. No começo as dificuldades eram muitas, porque ele resistia às mudanças. Todavia, pouco a pouco, percebeu que era preciso mudar, conversar com os fregueses, ouvir reclamações, ser compreensível, flexível. Tornou-se um homem afável e tolerante, e as vendas crescem a cada dia. O desemprego foi-lhe solução.

  Hoje é o grande dia da sua vida, o dia da virada, o dia em que você vai tomar posse da sua condição de Filho de Deus e libertar-se dos pensamentos negativos, deixar sua luz brilhar, acreditar em você mesmo, descobrir quantos talentos se acham adormecidos e dar um novo rumo à vida. Não é o mundo que muda para você, mas é você quem muda para o mundo. Vou repetir: não é o mundo que muda para você mudar, mas é você quem muda o mundo. Eu tenho certeza de que você vai fazer deste dia um novo capítulo na história da sua vida. Dê-se força, apóie-se e seu dia será o início de novos tempos de felicidade.

Renovo as minhas forças todos os dias.
Aproveitarei este dia para resolver os desafios que me esperam.
Deus me guiará os passos, as decisões e me conduzirá a uma vida de felicidade.

Dia do arquivo confidencial

Deus nos ama profundamente e deseja sempre o nosso bem. Dias atrás assisti ao programa de televisão do Fausto Silva, em que ele apresentava um quadro chamado "Arquivo Confidencial", que achei interessante. Você talvez já o tenha visto: alguém é convidado a assistir aos inesperados depoimentos de diversas pessoas de seu relacionamento passado e atual. São amigos de infância, colegas de profissão, familiares próximos ou distantes, que comparecem para prestar um depoimento sobre a pessoa convidada. O quadro é emocionante, pois o convidado desconhece quem são as suas "testemunhas", e tampouco o que elas vão dizer a seu respeito. Foi então que imaginei se eu fosse um dos convidados do programa. Dei asas à imaginação e pensei o que as pessoas falariam a meu respeito. Que fatos elas lembrariam? Que virtudes seriam destacadas? Que aspectos negativos seriam citados?

É muito válido esse tipo de reflexão. Na vida, temos necessidade de referenciais internos e externos. Os internos são os que nós mesmos formamos pelas impressões e opiniões pessoais – vale dizer, o que acho, o que sinto, o que considero importante. É vital que tenhamos esse referencial, pois muitas vezes nos guiamos apenas pelo que os outros consideram importante para nós, desconsiderando-nos por completo. Contudo, só esse referencial interno não basta.

Precisamos, também, de referenciais externos, nascidos das opiniões que as pessoas têm a nosso respeito. Precisamos nos ouvir, sem dúvida, mas também devemos levar em consideração a opinião que o próximo tem a nosso respeito. Muitas vezes, envolvidos em uma determinada situação, não temos a visão completa de todos os componentes do problema. Quem está fora pode perceber aspectos que não estamos conseguindo enxergar.

E então, você não quer fazer um arquivo confidencial? Por que não pergunta à sua esposa o que ela pensa a seu respeito? Permita que seus filhos também participem. Abra-se para que os amigos também se manifestem. Não se trata de um momento de críticas, mas um instante precioso em que as pessoas que caminham conosco na vida possam revelar como somos, o nosso jeito de ser, nossas virtudes, nossas fraquezas, vitórias e dificuldades pessoais.

Você não precisa fazer isso publicamente, nem fazer uma reunião especial para que todos participem. Mas vá, no dia-a-dia, abrindo-se para ouvir o que o outro tem a dizer sobre você, sem melindres, sem ressentimentos. Você, por certo, vai se surpreender com as manifestações das pessoas. Virão elogios a respeito de virtudes que você nem tinha se dado conta até o momento, o que aumentará a sua auto--estima. Virão, também, dicas a respeito de como você poderá melhorar o comportamento em relação ao próximo, o que contribuirá para uma vida mais feliz. Enfim, seja lá o que disserem, você só tem a ganhar. Seja corajoso para conhecer a você mesmo através do que os outros têm a lhe dizer. Tenho certeza de que essa atitude só irá enriquecer a sua vida.

Gosto de me conhecer,
pois sou uma pessoa em busca de crescimento.
Nada em mim me envergonha.
Aceito as críticas como informações importantes
para o meu crescimento.

Dia de amar

O amor é o mais sublime dos sentimentos, dele dependem a vida, a saúde, a paz e a fraternidade. Da mesma forma que não se vive sem alimento, ninguém pode viver sem amor. Vivemos em busca de amor, de reconhecimento, de afeto e de ternura. A busca pelo amor é que faz você estar vivo. É claro que não falo aqui somente do amor carnal, do jogo do sexo e da paixão. Falo também, e principalmente, de um sentimento mais amplo, puro e transcendente. *O amor é o verdadeiro milagre da vida, o sentimento mais profundo que se conhece*[39] *e o antídoto eficaz para todo sofrimento*[40]. Sofremos, enfim, porque não amamos. O homem que não se alimenta padece de anemia. De igual maneira, o homem que não ama tem anemia emocional, com os mesmos sintomas de fraqueza, desânimo e enfermidades. Todos os grandes problemas da nossa vida, individuais e coletivos, estariam resolvidos se soubéssemos amar.

Mas o que é o amor? Fala-se muito nele, porém poucos o experimentam em sua plenitude. Paulo, o Apóstolo, definiu o amor como poucos*: "O amor é paciente, não é ciumento, não é invejoso, não procura o próprio interesse, não se irrita nem guarda rancor, pois tudo desculpa, tudo suporta. Paulo ainda fala que o amor nunca desaparece nem se alegra com a injustiça". Diante dessas definições, poderíamos perguntar, como é o nosso amor. Será que é um amor que liberta ou é um sentimento ainda possessivo? Será um amor que perdoa ou um sentimento que guarda rancor? Será que o nosso amor é daquele que tudo suporta ou é o amor das mil exigências? Porventura, o nosso amor compreende e aceita o ser amado como ele é ou exige que seja como gostaríamos que fosse? São perguntas que merecem a nossa reflexão.

Muitos, entretanto, poderão replicar que esse amor aqui definido é inatingível, impossível de se alcançar. A história, porém, registrou inúmeros exemplos de pessoas amorosas, como Jesus, Buda, Madre Teresa de Calcutá, Francisco de Assis, Gandhi, Irmã Dulce, Betinho, Eurípedes Barsanulfo, Francisco Cândido Xavier e tantos outros anônimos que demonstraram a possibilidade concreta do amor. Exclamarão alguns que a lista só contém santos, mas a verdade é que são santos porque amaram.

Contudo, devemos lembrar que o amor não se instala de um momento para outro, ele tem um curso a percorrer.

---

* Coríntios, 13 (N.A.).

Inicia-se na amizade e se expande na ternura, em forma de gentileza para consigo e para com o próximo[41]. É assim que, pouco a pouco, nossos sentimentos de amizade vão se transformando em laços de amor, mas para que isso ocorra é preciso impulsionar a nossa vontade e demonstrá-la em gestos concretos. Se você ama, demonstre o seu amor pelas suas atitudes. Diz a Espiritualidade que o amor não é um tratado, não é um discurso filosófico, mas é vivência diária. Comece pelos pequenos gestos e em breve você será uma pessoa amorosa, alegre e saudável. Como posso ser mais amoroso neste dia?

Sou uma pessoa amorosa.
Deixo o amor penetrar o meu ser
e me impregnar de paz e contentamento.
Amo a Deus, amo o próximo da
mesma maneira que me amo.

Um dia com Francisco de Assis

Neste mundo de tanta ostentação e aparências, onde muitas vezes perdemos a vida em busca de riquezas e glórias terrenas, minha alma busca a figura de Francisco de Assis, um dos espíritos mais iluminados que esteve entre nós. Sua vida foi um hino de amor e de paz entre os homens, uma história que jamais se apagará da face da Terra.

Muitas cidades levam o seu nome, muitas biografias foram escritas sobre sua pessoa, centenas de religiosos ainda seguem seus passos, vários grupos ecológicos se criaram inspirados em sua vida, canções foram compostas em sua homenagem. Tudo isso porque Francisco não foi um teórico do amor, antes viveu-o em toda a sua plenitude. Fugiu da ribalta tão comum aos que usam a religião para a própria promoção. Deu de ombros ao poder e deixou de lado uma vida de luxo e ostentação, que seus pais poderiam lhe oferecer. Buscou a simplicidade de viver, coisa que o mundo moderno parece ter esquecido.

Sinto que tornamos a vida muito difícil, cheia de regras, convenções, etiquetas, necessidades irreais, e Francisco foi muito feliz com tão pouco.

O Santo de Assis não foi um homem triste, que vivia trancado nos templos religiosos cercado de livros e dogmas. Seu templo era a natureza, seus irmãos eram todos os que cruzavam seu caminho, inclusive os animais. Seu ritual era o amor, a fraternidade e a alegria. Como Francisco era alegre, parecia criança. Sinto que perdemos nossa criança interior em alguma quadra da vida, somos adultos demais, indivíduos fechados, carrancudos. O irmão de Assis nos ensina a resgatar a criança interior.

Como esse espírito franciscano nos faz falta! Todavia, poderemos seguir seus passos porque o pobrezinho de Assis é a demonstração de que a vivência do Evangelho não é uma utopia. Ela é possível, é real. A conhecida oração de Francisco é um roteiro de felicidade que poderá ser aplicado em nossos dias. Em sua oração, o Sol de Assis pede a Deus que o transforme em instrumento da paz. Quanta beleza! Ser instrumento da paz.

Será que temos sido instrumentos da paz? Ou temos sido instrumentos da guerra, do ódio, da calúnia, da maledicência? Eu tenho me perguntado a esse respeito e verifico que muitas vezes deixei de ser o instrumento da paz. Se nos omitirmos com o bem, o mal crescerá. Mas se agirmos com paz, o mal desaparecerá. Só existe o mal porque ainda não somos bons o bastante. O mal é a ausência do bem. A guerra é a ausência da paz em nosso interior, isso porque ainda acreditamos na força da violência, na vingança e na superioridade de uns sobre outros.

Francisco é o doce convite para que nos transformemos em instrumentos da paz na família, onde muitas vezes somos motivo da desunião. Que nos transformemos em mensageiros da paz no trabalho, na via pública, no grupo religioso, na política, enfim, onde estivermos. E como poderemos ser esse instrumento da paz? Francisco nos ensina a levar amor onde houver ódio, a levar perdão onde houver ofensa, a semear união onde houver discórdia, a levar fé onde houver dúvidas. Sugere-nos a levar verdade onde houver erro, o bálsamo da esperança onde houver desespero, a plantar alegria onde a tristeza fez ninho, e onde houver trevas que acendamos a luz do amor. Eis aí o caminho da felicidade proposto por Francisco, o ser que mais se aproximou do amor depois de Jesus. Despertemos para esse sublime convite e nossa vida também será um hino de alegria e paz.

A paz toma conta do meu coração.
Vivo feliz com o que posso ter.
Sou alegre e feliz, sinto-me em paz com meus irmãos.
Amo os animais, as flores, os rios e mares,
sinto-me integrado a tudo o que existe no Universo.

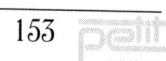

Dia de responsabilidade

Desde pequeno minha mãe me falava da importância de ser uma pessoa responsável. Custou-me acreditar que tinha razão. Deus nos deu o livre-arbítrio e, por conseqüência, a liberdade de fazer, ou não, o que queremos. Tudo me é lícito, como afirmou Paulo de Tarso, embora nem tudo me convenha. Entretanto, essa liberdade deve vir acompanhada da responsabilidade, já que estaremos sempre vinculados a tudo quanto nossas ações tenham produzido.

Sempre colheremos de acordo com o que semeamos, por intermédio dos nossos atos, pensamentos e palavras. Se jogarmos uma bola amarela na parede, voltará uma bola amarela, nunca uma bola de outra cor. Contudo, temos uma forte tendência a transferir responsabilidades, fugindo dos nossos compromissos. Quantas vezes transferimos nosso insucesso para o acaso, para a falta de sorte, para Deus, para os parentes e inimigos, para os espíritos e até mesmo para o governo. Entretanto, *a ninguém transfiras a causa dos teus desaires, dos teus insucessos. Dá-te conta deles e recomeça a ação transformadora. Mesmo que não o queiras, serás sempre responsável pelos efeitos dos teus atos*[42].

Jamais nos afastaremos de nós mesmos. Somos hoje o que ontem produzimos. Adverte-nos a Espiritualidade que um dos maiores entraves ao nosso adiantamento moral é o de não querermos assumir responsabilidades perante a vida. Quanto mais evoluído é o espírito, mais responsável ele é. Entretanto, geralmente vivemos com uma certa dose de inconseqüência. Pensamos somente no agora, esquecidos de que as nossas ações geram conseqüências a nós mesmos. Se me embriagar, sou responsável pelos danos que ocasionar ao meu corpo. Se me consumir nas drogas, será minha a responsabilidade pelo suicídio praticado.

Informam os amigos espirituais que do outro lado da vida há muita gente sofrendo por falta de responsabilidade, pois viveram na inconseqüência, sem ordem, sem disciplina, querendo tomar conta dos outros e não cuidaram de si mesmos. Hoje estão em condições nada confortáveis. Alguns já se preparam para futuras reencarnações, participando de estudos sobre responsabilidade individual, a fim de evitarem novas quedas.

Sem responsabilidade, jamais conseguiremos alcançar a felicidade real. Não me refiro apenas à responsabilidade perante as obrigações sociais, mas também a que devemos ter sobre nós mesmos. Precisamos assumir o comando da nossa vida, meditar, sempre, antes de qualquer atitude, a fim de verificar o motivo das nossas ações e as conseqüências que advirão com os nossos atos, pensamentos e palavras.

Ser responsável por si é não esperar nada de ninguém, é não esperar que o outro preencha as minhas necessidades. A responsabilidade individual deve ser nossa maior conquista, assim como deve ser o maior ensinamento que os pais poderão transmitir aos filhos. Quando adquirirmos maturidade perante a vida, assumindo as conseqüências das nossas condutas e adotando novos padrões de comportamento, estaremos dando passos seguros em favor da felicidade real.

Sou responsável pela minha vida.
Trabalho pelos meus ideais,
assumindo o comando da minha existência.
Deixo que cada um assuma as suas
responsabilidades perante a vida.

Um dia com Jesus

Gosto de uma belíssima música do compositor erudito Johann Sebastian Bach, chamada "Jesus, alegria dos homens". Ao escutá-la, meu coração exalta de alegria com essa figura incomparável chamada Jesus de Nazaré. Impressiona-me como Jesus tem sido alvo de estudos nas mais variadas áreas do conhecimento. Que mistério tem esse Homem, que transformou a história da humanidade em dois períodos, antes e depois Dele? Que força tem Jesus para transformar a vida de milhares de pessoas em todo o mundo, homens e mulheres que, em seu nome, deram suas próprias vidas pela causa do amor? Que força estranha tem Jesus!

"Evangelho" quer dizer Boa Nova. Isso significa que Jesus tem uma boa notícia, uma nova mensagem que poderá modificar nossa vida, por completo. Como encaramos o Evangelho? Temos procurado nele a solução para nossos conflitos? Temos buscado nas palavras de Jesus o lenitivo para nossas dores? Sim, porque muitas vezes vamos procurar soluções nos astros, nas cartas e esquecemos de buscar a rota segura do Evangelho. *O Evangelho de Jesus é o mais belo poema de esperanças e consolações de que se tem notícia. Concomitantemente, é precioso tratado de psicoterapia contemporânea para os incontáveis males que afligem a criatura e a humanidade*[43].

No Evangelho encontramos Jesus falando dos magnos problemas que aturdem o ser humano, como o egoísmo, a ansiedade, a violência, a guerra, a vingança, a mágoa e a doença. Mais do que isso, Jesus propõe soluções concretas para a erradicação das aflições humanas, indicando o amor, o perdão, a tolerância, a paz, a fraternidade e a serenidade, como excelentes terapêuticas para os nossos males.

O Homem de Nazaré não se limitou a apresentar-nos simples regras morais, mas cuidou de oferecer a todos nós um tratado da ciência de bem-viver. As bases do pensamento de Jesus são hoje estudadas por médicos, juristas, sociólogos, psicólogos e psicoterapeutas de todo o mundo, os quais encontram no Evangelho a solução para as agruras da nossa existência.

A doutora Winifred Rushforth, psiquiatra americana, prescrevia a seus pacientes: "Quando o Cristo está vivo em nosso coração, somos despertados para o amor em sua completa extensão. Esse é o amor que não tem espaço para a ansiedade, mas traz consigo alegria, paz, paciência, delicadeza, bondade, suavidade e autocontrole'"*. Não será esse o remédio de que necessitamos? Que hoje possamos estreitar o nosso relacionamento com Jesus, fortalecer essa amizade, tê-lo como nosso psicoterapeuta e fazer do Evangelho o nosso divã, pensando nas propostas que o Nazareno endereçou a todos nós: que nos amemos uns aos outros. Só assim Jesus será a alegria da nossa existência.

Jesus é o amigo incondicional da minha vida.
Estabeleço uma amizade sólida com Jesus.
Com Jesus ao meu lado terei um excelente dia.

---

* *Algo está acontecendo.* 2. ed. Saraiva, 1992. p. 110 (N.A.).

Dia de abandonar as queixas

Certa feita, depois de um dia estafante, de regresso ao lar, notei-me murmurando contrariedades que me haviam ocorrido no dia. Aos poucos, fui me recordando das ocorrências menos felizes e, em breve tempo, queixava-me de tudo e de todos. Uma voz interior, porém, fez-me a seguinte pergunta: "Por que você não observa o que lhe ocorreu de positivo em seu dia?". Fui então passando a limpo todos os acontecimentos favoráveis e me dei conta de que foram em maior número do que os menos felizes. Lembrei-me de que tive saúde para levantar da cama, dispus de um carro que me levou aos locais necessários, pude me alimentar, conheci pessoas, fiz novos contatos profissionais, abri frentes de trabalho, ganhei o necessário para a minha subsistência e ainda estava voltando para casa. Surpreso, percebi que, em meio a tantas bênçãos, estava me queixando de pequenos contratempos.

O hábito da queixa ou reclamação constitui um dos mais graves condicionamentos que a criatura se permite incorporar à conduta cotidiana. Diante das concessões que lhe chegam através das manifestações da vida, o homem somente motivos possui para louvar e agradecer, jamais para queixar-se[44].

Sabemos que todos têm grandes desafios a vencer, ninguém está na vida sem lutas, muitas das quais deveras amargas. Mesmo assim, devemos evitar a queixa, que em nada contribui para a resolução dos problemas e só agrava a situação. A queixa é um tóxico venenoso; ninguém gosta de ficar ao lado de uma pessoa que tem por hábito a reclamação. A queixa nos isola das pessoas, bem como das energias espirituais positivas, pois nos detém no lado negativo das situações. E se você está no negativo, o positivo não o alcança. É a lei das semelhanças. As forças positivas jamais poderão se aproximar de alguém que só reclama. De que lado você está? Está no bem? Está vendo o bem em tudo?

Se começarmos o dia reclamando, a felicidade vai passar longe de nós. Se hoje a situação é de dor e aflição, saiba que apenas estamos colhendo o que ontem plantamos, porém com a bendita possibilidade de renovar a vida através de novas atitudes positivas. A queixa não nos faz bem, deixa-nos com a idéia de que somos vítimas do mundo, pessoas injustiçadas e esquecidas por Deus. E sabemos que não é isso que ocorre, vivemos no mundo que criamos para nós.

Hoje Deus nos deu a possibilidade de estarmos vivos para renovar o destino, transcendê-lo, enfrentá-lo, elegendo novas atitudes otimistas, mudando antigos hábitos nocivos, extirpando pensamentos de medo e fracasso, com o que estaremos nos libertando do sofrimento. O problema que hoje nos visita é oportunidade de progresso. Faça da dificuldade um trampolim para a felicidade. Se você só tem um limão, então faça uma boa limonada. Pare de sofrer, meu amigo, queixando-se menos e agradecendo mais por tudo o que você é e por tudo o que você ainda pode ser, agora mesmo.

Sou agradecido por tudo o que tenho.
Sou grato por todas as pessoas que cruzam o meu caminho.
Aceito as dificuldades como oportunidades de progresso.
Minha vida está fluindo bem e cada dia melhor.

Dia de se comunicar

Você já pensou na importância da comunicação em sua vida? Eu mesmo demorei muito a perceber isso. A comunicação é a forma pela qual nós nos expressamos perante a vida, expondo as idéias, os desejos, as opiniões e os sentimentos. Você já pensou que sem a comunicação não haveria convivência humana? O mundo simplesmente não existiria. Viver é estabelecer laços com tudo o que nos cerca. Poderemos compreender que para se viver bem é preciso se comunicar bem.

De uma boa comunicação depende a nossa felicidade, tanto na área profissional, como na área afetiva. Poderemos fazer isso de diversas formas, como, por exemplo, por meio das palavras, dos gestos, do olhar, dos nossos trajes, dos pensamentos e até pelo nosso silêncio.

Muitos problemas de relacionamento ocorrem porque não nos comunicamos adequadamente. Por vezes, pensamos uma coisa e nos expressamos de forma diversa, permitindo que o nosso interlocutor tenha uma idéia falsa do que na verdade estávamos querendo manifestar.

Em outras circunstâncias, sentimos algo e não nos expressamos corretamente, dizendo menos do que era preciso. Isso ocorre freqüentemente no lar. Muitas vezes um dos cônjuges se cala por medo do outro e deixa de expressar suas mágoas, medos e receios, não contribuindo assim para a harmonização da vida conjugal. Você não precisa brigar, gritar, xingar, mas não pode deixar de expressar seus sentimentos perante a pessoa com a qual você elegeu passar o resto dos seus dias. Nesse caso, está faltando comunicação, sem a qual a vida no lar se tornará difícil.

Outras vezes, porém, falamos mais do que deveríamos, perdemos tempo falando de coisas inúteis. Em outras circunstâncias, nossa comunicação é agressiva, a palavra áspera, o olhar fulminante, o silêncio sepulcral, são exemplos de comunicações improdutivas, porque a pessoa que nos ouve somente desejará se proteger dos nossos impulsos agressivos, pouco se importando com o que desejamos comunicar.

Não fales, apenas por falar. A boa comunicação resulta da qualidade do tema e da forma como se apresenta; da sinceridade com que se expõe, assim como da motivação de que se reveste[45]. Considere, também, que nós nos comunicamos através dos ouvidos. Quando alguém lhe dirige a palavra, ouça com atenção, não interrompa o seu interlocutor, como se a palavra pertencesse apenas a você.

Enquanto ouças, raciocina, coordena idéias para que a comunicação se torne simpática e proveitosa[46].

Sempre colheremos o resultado das nossas comunicações. Por isso, devemos estar atentos à maneira pela qual interagimos com as pessoas. Vamos assim enriquecer o nosso vocabulário, a fim de que as palavras sejam esclarecidas e amáveis. Vamos dar leveza e bondade aos nossos gestos, para que o corpo se expresse com alegria e suavidade. E que os nossos ouvidos estejam sempre atentos aos que nos pedem atenção. Tudo isso para que, em bem se comunicando com o mundo, possa também o mundo se comunicar conosco em atenção, amor e paz.

Expresso ao mundo todos os meus anseios.
Falo com bondade e carinho.
Ouço com atenção todos os que me procuram.
Meu rosto expressa alegria de viver.

Dia de quebrar preconceitos

Como sou apaixonado por música, recordei-me de uma canção de Raul Seixas, intitulada *Metamorfose ambulante*, que traz à discussão o tema dos preconceitos e condicionamentos. O compositor expressou, com outras palavras, que preferia ser uma pessoa aberta a novas idéias, a ter velhas opiniões formadas sobre tudo. Talvez um dos graves equívocos psicológicos do homem é ter idéias preconcebidas de tudo e de todos, sem abertura para novos enfoques.

Vida é evolução e toda evolução pressupõe mudança de paradigmas. Ninguém evolui se não mudar. Veja um simples exemplo: a máquina de datilografia foi uma peça indispensável na vida comercial. Todo mundo que desejasse um bom emprego precisava saber datilografar. Jamais se pensou que a máquina de escrever um dia se tornaria peça de museu. O computador veio e ocupou o espaço das velhas máquinas.

Numa cidade do interior de São Paulo, uma pessoa procurou-me para queixar-se que seu negócio ia mal, que sua escola estava falindo. Perguntei que tipo de curso ela mantinha, ao que, para meu espanto, respondeu-me que se tratava de uma escola de datilografia. Não tinha um aluno sequer. Ponderei a ela que seria melhor mudar para escola de informática, porém ela me respondeu que estava velha demais para mudar. É provável que tenha fechado a escola reclamando do progresso.

Temos a tendência de cristalizar idéias e convicções. Pensamos de uma determinada maneira e nos recusamos a observar outros enfoques da questão. Recusamo-nos a enxergar o novo, que sempre nos assusta. Mas a ciência somente avança porque os cientistas não se conformam com o atual estágio do conhecimento da humanidade. E graças a Deus que assim o é, pois do contrário ainda estaríamos morrendo de gripe. *Sê uma pessoa aberta às idéias, aos conceitos novos. Discute-os, compara-os com o que sabes e pensas, retirando o melhor proveito das informações que desconheces. Ninguém é tão sábio que não necessite aprender mais, nem tão completo que possa dispensar outros contributos para o seu crescimento íntimo*[47].

Essa abertura a que se refere Joanna de Ângelis implica quebrar nossos preconceitos, as idéias cristalizadas, os nossos prejulgamentos. O homem sábio é aquele que está de mente aberta, sempre disposto a novos aprendizados, pois sabe que pouco sabe diante do muito que ainda tem a aprender. Não podemos ter a pretensão de conhecer tudo, de pensar que nosso pequeno saber seja capaz de equacionar todos os problemas do mundo.

Espero que hoje seu dia seja repleto de novos conhecimentos, esteja aberto a novas descobertas, mantenha-se receptivo a novos aprendizados. A curiosidade é a condição do conhecimento. Não acredite que é tarde demais para isso, pois velho é aquele que se recusa a aprender com a vida, independentemente da idade cronológica. Por isso, pergunte, indague, reveja idéias, questione valores, reconsidere velhas opiniões, para que, ao chegar o fim do dia, possa dizer que é um homem novo, uma criança, a metamorfose ambulante.

Estou sempre aberto a novos aprendizados.
Abandono os velhos padrões que já não me servem mais.
Aceito novos conhecimentos, estou aberto a tudo
aquilo que é bom para minha vida.

Dia da serenidade

Hoje é dia de abrir espaço para a serenidade em nossa vida. Aliás, você já conhece a *prece da serenidade*? Ela diz o seguinte: "Deus, conceda-me coragem para mudar o que eu posso mudar; serenidade, para aceitar o que eu não posso mudar e sabedoria para perceber a diferença"*. É claro que a prece não tem nenhuma conotação mágica; nada de palavras cabalísticas portadoras de uma suposta força mística. A forma não é nada, o pensamento é tudo. No entanto, pode-se assimilar o elevado propósito moral de uma oração e, neste particular, a prece da serenidade nos convida a preciosas reflexões.

A oração nos ensina a pedir: "Deus, conceda-me coragem para mudar o que eu posso

---

* A autoria dessa oração é atribuída ao teólogo americano Reinold Niebuhr (N.A.).

mudar...". Devemos pedir coragem. Mas para quê? Para que possamos mudar aquilo que nos cabe mudar. Não raro, a solução para as dificuldades está em nossas mãos, não nas mãos de Deus, nem nas do padre, do pastor, do médium, dos espíritos etc.

Deus nunca fará a parte que nos cabe. Um professor não fará a prova no lugar do aluno, nem o médico tomará o remédio no lugar do paciente. Nas situações em que já sabemos o que fazer, Deus não põe a mão. Eu conheço uma pessoa que reza, há pelos menos trinta anos, pedindo a Deus que lhe tire o vício do tabaco. E por que Deus não tira? Porque essa tarefa compete à pessoa. Ninguém poderá alegar ignorância quanto aos prejudiciais efeitos do tabaco e do álcool para a saúde. Então, como já sabemos o que fazer, Deus deixa que tomemos a atitude, respeitando o nosso livre-arbítrio. Isso não quer dizer que Deus abandonou os viciados; Ele sempre oferece ajuda, seja por intermédio de um conselho de amigo, seja por intermédio de um livro que lhes chega às mãos, de um sonho de advertência – enfim, por inúmeros toques que a vida nos dá para que realizemos as mudanças necessárias.

A segunda parte da prece diz o seguinte: "Conceda-me serenidade para aceitar o que eu não posso mudar". Quanta sabedoria há nesse pensamento. Se por um lado muitas soluções estão em nossas mãos, por outro, algumas independem da nossa vontade ou de nossa atuação concreta. Em algumas situações, só Deus poderá alterar o curso dos acontecimentos. Quando nada podemos fazer, Deus pode. E Deus sempre fará o melhor por nós. Ele sempre atua quando não sabemos o que fazer ou quando já fizemos tudo o que poderia ser feito, o que estava ao nosso alcance. Victor

Hugo escreveu: "Quando tiver feito tudo o que for possível, deite-se e vá dormir. Deus está acordado".

Será que percebemos o motivo dessa oração ser denominada *prece da serenidade*? A razão é simples. Nós só conquistaremos a paz quando realizarmos o bem que está ao nosso alcance, e diante do que está fora das nossas possibilidades, entreguemos a Deus a resolução do problema. Saber a nossa parte e fazer, saber a parte de Deus e esperar – eis a expressão da serenidade.

Estou nas mãos de Deus.
Trabalho pela minha felicidade.
Todos os dias enriqueço a minha
vida de trabalho e esperança.
Sou uma pessoa serena porque faço
o que me cabe realizar pela felicidade.
Confio em que Deus me proverá do necessário.

Dia de olhar para o espelho

A vida é um grande espelho a refletir nossos estados interiores. A vida por fora de nós é a imagem daquilo que somos por dentro. É como se a vida fosse um grande espelho refletindo o que somos na verdade. Você já havia pensado a esse respeito? Como uma casa reflete a condição de seus moradores, o planeta Terra reflete a condição de seus habitantes. Por exemplo: o mundo é violento, porque os homens ainda são violentos. Assim o mundo é o reflexo dos seus habitantes. Isso também ocorre no plano individual.

As coisas que estão ocorrendo em nossa vida refletem o nosso estado interior, o nosso mundo íntimo. Tive uma fase de minha vida em que passei a receber muitas críticas. Eram amigos, conhecidos, familiares e até gente com quem tinha pouquíssima convivência. Tudo o que fazia dava ensejo a comentários ácidos a meu respeito. Certa noite, meditando na situação que já me incomodava, tentava descobrir a causa do problema. Foi então que uma voz interior me lançou a seguinte pergunta: "Você já buscou a causa em você?". Confesso ter ficado embaraçado, desconcertou-me a possibilidade de saber que eu poderia ser a causa do problema. Mas aquela voz ainda prosseguiu: "Tudo está em você. Os outros apenas refletem a sua imagem e a sua consciência. Eles são o seu espelho, mostram o que você é. A vida devolve a você o que você a ela dá".

Confesso que estava perplexo com a idéia. No entanto, procedendo a uma auto-análise, descobri que, de fato, era um tremendo crítico; julgava a tudo e a todos, lançando condenações a todo instante. Não perdoava o menor deslize e ninguém escapava das minhas sentenças. Em todos encontrava algum defeito para criticar. Por isso, é que passei a ter várias pessoas me criticando, ou seja, as pessoas apenas refletiam a minha maneira de ser, de pensar e de agir. Quis fazer o teste para ver se esse negócio de espelho era mesmo verdade. O que fiz? Parei de criticar. O resultado foi surpreendente. Pouco a pouco fui sendo esquecido pelos meus juízes.

Outro dia um amigo me procurou desejando saber a razão pela qual sentia tanta irritação ao ver algumas propagandas políticas na televisão. Pedi a ele que fosse mais preciso, que procurasse saber o que lhe causava aquela sensação. Prontamente, respondeu que eram as promessas de campanha que provavelmente não seriam cumpridas.

José Carlos De Lucca

Indaguei a ele se também fazia promessas que não cumpria. Meu amigo empalideceu. Parece que eu havia descoberto um grande segredo de sua vida. Depois de alguns segundos de profundo silêncio, ele me confidenciou que também havia feito várias promessas ainda não cumpridas. Havia prometido à família que iria parar de fumar, que teria mais tempo para ela... Tudo o que nos irrita em outras pessoas pode indicar o que se passa conosco.

Seria bom que todos estivéssemos atentos aos espelhos da vida, eles nos mostram quem realmente somos. Não seria bom dar uma espiada no espelho? Que pessoas você está atraindo para o seu convívio? Que tipo de pessoa deixa você bem irritado? Que espécie de pessoa você costuma criticar? Que situação está se repetindo em sua vida? Que espécie de par amoroso tem aparecido com freqüência em sua existência? Todas essas pessoas e situações refletem sua maneira de agir, de pensar e de ver a vida. Quando você muda por dentro, o mundo muda por fora. Não adianta brigar com o mundo de fora. Não adianta querer mudar o mundo exterior, que é apenas o reflexo do que somos por dentro. A grande revolução de nossas vidas é a mudança em nós. Aproveite os espelhos para que brilhe a sua luz. E a luz do mundo será apenas o reflexo de você mesmo.

Sou uma atenta observadora do que ocorre comigo.
As pessoas refletem o meu interior,
dão-me pistas de quem sou eu.
Nada do que preciso está fora de mim.

Dia certo

Quero lhe contar uma história interessante. Poderemos retirar dela uma bela mensagem para o seu dia. Preste atenção: "Certo dia, um homem observava uma pequena abertura em um casulo. Observando-o por várias horas, ele via o modo como o pequeno animal, uma borboleta, esforçava-se para fazer com que seu corpo passasse através daquela abertura. Então pareceu ao homem que ela não fazia progressos em suas tentativas. Assim, ele decidiu ajudá-la, abrindo o restante do casulo com uma tesoura. A borboleta, então, saiu facilmente. Mas seu corpo estava murcho, era pequeno e tinha as asas amassadas. O homem continuou a observar a borboleta, porque ele esperava que, a qualquer momento, a asa dela se abriria e se esticaria, prontas para o vôo. Nada aconteceu, porém. Na verdade, a borboleta passou o resto da vida rastejando, com um corpo murcho e asas encolhidas. Ela nunca fora capaz de voar.

José Carlos De Lucca

O que o homem não compreendia, em sua gentileza e vontade de ajudar, era que o casulo apertado e o esforço necessário à borboleta para passar através da pequena abertura se tratava do modo com que Deus fazia para que o fluido do corpo da borboleta fosse para suas asas, de modo que ela estaria pronta para voar uma vez que estivesse livre do casulo".

O esforço é justamente o que precisamos em nossa vida. Se Deus nos permitisse passar a vida sem algum obstáculo, Ele nos deixaria fragilizados. Os médicos explicam que a criança não pode ser privada de ter algum contato com a sujeira, a fim de que fortaleça seu sistema imunológico. A criança que não brinca na rua, a pretexto de não contrair doenças, estará com o corpo mais debilitado, pois seu sistema interno não foi estimulado. Proteção demais desprotege. Não quero afirmar que a criança não deva lavar as mãos quando vem da rua, mas que ela não pode ser privada de ter contato com a terra, com as pessoas, com outras crianças.

O esforço é que torna o homem forte. O atleta só chega ao pódio depois de muito treino, muitas horas de dedicação e esforços contínuos. Um exímio pianista necessitou de muitos anos de estudos diários estafantes. O bom médico só é reconhecido se curar doenças graves. O bom professor é o que educa o aluno rebelde. O bom religioso é o que converte o pecador.

Não fossem as dificuldades, não seríamos tão fortes como somos. Se você atravessa o mar das dificuldades, das provações, saiba que está desenvolvendo seus potenciais interiores e se persistir na luta, a vitória em breve chegará em sua vida. Estamos na vida para fortalecer nossos

pontos fracos. Recorde-se que o *desanimado é alguém que tombou antes do termo da jornada*[48].
Os problemas estão nos conduzindo a novos caminhos. Porque somos muito acomodados, caímos facilmente na rotina, ficamos perdidos com as ilusões passageiras do mundo. A vida nos proporciona a experiência dos obstáculos para que movimentemos o nosso manancial de possibilidades de crescimento.

Certa feita, quando minha mãe estava doente, levei-a a uma clínica de radioterapia, e pude notar que muitos enfermos tinham em suas mãos livros religiosos. Arrisquei perguntar a um deles, um senhor de quase setenta anos, o porque de estar tão empolgado com a leitura, ao que ele me disse ter chegado a hora inadiável de realizar as mudanças que ele sempre adiou fazer. De certa forma, a doença foi a intimação que a vida lhe deu para crescer, para sair do casulo da inércia. Por isso, seja lá como estão as coisas, hoje é o dia certo de você voar alto por meio do esforço, do trabalho, do estudo, da meditação, da vivência do Evangelho. Não desista, pois, dê mais um passo, respire fundo, pise no acelerador que a bandeirada da chegada está próxima, afinal de contas, você é um vencedor.

Aceito as dificuldades da vida como
experiências de engrandecimento moral e material.
A dor é minha mestra, ensina-me a trilhar
novos caminhos de paz e alegria.

Dia de acreditar no bem

Outro dia, trabalhando no computador, eu preparava um texto para uma conferência e pretendia inserir um gráfico para melhor ilustrar a exposição. Acionei no teclado os comandos necessários, mas o computador informou-me que não havia encontrado um programa que possibilitasse a inserção de gráficos. Dentro da minha ignorância em matéria de informática, conclui que o computador só executa programas que estejam previamente instalados.

A partir dessa constatação, fiquei imaginando se também não ocorreria o mesmo conosco, vale dizer, se nós também não funcionaríamos como um computador, trabalhando em face de programas que adquirimos ao longo da existência. E me dei conta que sim. Desde criança, temos recebido diversos programas que foram instalados em nossa mente: alguns bons, outros nem tanto. Eles foram inseridos por nossos pais, professores, amigos, religiosos etc.

Vamos a um exemplo: Pedrinho estava no segundo ano primário e, ao mostrar a lição de casa, a professora, insatisfeita com a tarefa apresentada, repreendeu o menino chamando-o de burro. É possível que Pedrinho, por várias circunstâncias, tenha, de fato, aceitado como verdadeira a acusação da irritada professora. Em conseqüência, o programa foi instalado e funcionará toda vez que Pedrinho tiver que demonstrar as habilidades intelectuais. É provável que nessas horas ele se lembre da infeliz advertência feita pela professora, tendo dificuldades para expressar suas aptidões, pois a mente foi programada para ser incompetente.

Essas idéias cristalizadas em nossa mente tornaram-se crenças, ou seja, algo que passamos a acreditar como verdadeiro e que acabam se concretizando exatamente porque acreditamos nisso. Veja algumas crenças muito comuns: "Eu sou feio", "Eu não sou capaz", "Eu não tenho sorte", "Amar é sofrer", "Homem não chora", "Eu nasci para sofrer", "Comigo nada dá certo".

Será que você se identificou com alguma delas? Recorde-se de que a vida nunca diz não. Ela sempre diz sim ao que julgamos verdadeiro. Aquilo em que acredito, fruto do meu livre-arbítrio, concretizar-se-á para mim. Melhor de tudo é saber que, da mesma forma que se procede no computador, nós poderemos fazer uma reprogramação mental. Isso quer dizer que poderemos alterar todas as nossas crenças, substituindo as negativas, as depreciativas, por outras mais compatíveis com os propósitos de felicidade. E não esqueça: o que você acredita por dentro se concretiza por fora. Muita paz e mãos à obra.

Acredito que sou uma pessoa merecedora de felicidade.
Tenho direito a um bom emprego e trabalho para isso.
Sou uma pessoa inteligente e capaz.

Dia de libertar-se da agressividade

Um assunto que merece toda a nossa atenção se refere aos instantes em que somos dominados pela ira, pela irritação e pela agressividade. Por muito pouco enfurecemos, encolerizamos. Acho que todos passamos por esses momentos, uns mais, outros menos, mas todos nós temos instantes de perda do controle emocional. São nessas ocasiões que praticamos atos dos quais amanhã vamos nos arrepender.

Outro dia me vi numa situação dessas. Alguém falou algo que me desagradou. Perdi o controle e respondi à pessoa coisas que não devia, tornei-me agressivo na forma de me expressar. Minha conduta em nada contribuiu para a solução do problema; ao contrário, só o agravou. A ira é um perigoso veneno que vai nos corroendo por dentro e minando o relacionamento social. Afinal, ninguém gosta de uma pessoa com freqüentes ataques de cólera.

A ira tem origem nos instintos primários que predominam em nossa natureza animal. Acredito que temos um zoológico interior. Contudo, ninguém será feliz se não dominar seus instintos. Muitas vezes a ira se manifesta porque não aceitamos que os outros sejam diferentes de nós, tenham outras visões de vida. Somos impacientes com o próximo, porque achamos que ele não enxerga as coisas da mesma forma que nós, ignoramos que ele tem outro ritmo de vida.

Devemos considerar que as pessoas têm um compasso diferente, têm outras preferências, outros enfoques da vida. Se não tivermos esse entendimento, tenderemos a exigir que os outros se comportem do nosso jeito, pensem com a nossa cabeça. Como então sair desse quadro? Joanna de Ângelis pondera: *Tem cuidado com as tuas reações emocionais. Vigia as nascentes do coração de onde nascem o bem e o mal proceder. Disciplina os teus impulsos e direciona bem os teus sentimentos, a fim de que não venhas a tornar-te iracundo, gerando dificuldades no meio em que vives. Concede aos demais o direito de serem conforme o conseguem e não de acordo com as tuas imposições, nem sempre corretas*[49].

Devemos nos autoconhecer para saber quem somos, por que reagimos com agressão às menores contrariedades, identificando, assim, as causas do nosso desajuste interior. Um poderoso medicamento contra a irritação é aceitar as pessoas e as coisas como elas são, deixar cada um ser o que é e o que pode ser. Cada um está no seu ritmo, no seu mundo, cada um é o seu próprio universo. Quando aceito esse conceito espiritualista, porque é centrado na idéia do espírito como ser individual, vou me libertando do condicionamento de querer impor aos outros as minhas verdades. O que é bom para mim pode não ser bom para o outro. Mas quando quero impor ao outro as minhas verdades, estou violentando consciências, podendo sofrer a reação emocional das pessoas que não aceitarão o meu modo de ver a vida. A maior conquista de um homem é vencer a si mesmo, a fim de que resplandeça em si a luz da bondade e do amor. Chico Xavier dizia que amar é compreender o próximo. Quando isso ocorrer em nossa vida, estaremos libertos dos impulsos agressivos. Que tal começar esse trabalho, hoje?

Aceito as pessoas como elas são.
Dou o direito de cada um ser o que é.
Aceito os acontecimentos com naturalidade,
pois Deus sabe o que é melhor para mim.
Liberto-me da raiva e da irritação,
pois a paz e a harmonia habitam o meu interior.

Dia de sintonizar-se com o bem

Desejo refletir com você a respeito da problemática das sintonias. Uma das grandes descobertas da ciência moderna é a de que tudo está ligado a tudo, ou seja, não há nada no Universo que não esteja ligado a alguma coisa. Nada está separado, desligado, fazemos parte de um todo, cujas partes se acham interligadas. Essa ligação das coisas se dá no plano da energia, por isso, muitos duvidam que ela ocorra. Mas pare para pensar: quando você quer ouvir uma determinada estação de rádio, bastará ligar o aparelho? Não, é preciso sintonizá-lo na emissora desejada. Ninguém vê as ondas do rádio, mas não se duvida da sua existência. Chegamos a aquecer alimentos por meio de ondas invisíveis.

Da mesma forma, também estamos sintonizados com pessoas que se acham na mesma freqüência que a nossa. Nossos atos, pensamentos e palavras geram energias capazes de se ligarem a outros que estão no mesmo padrão. Se acordo pela manhã, de mal com a vida, soltando palavras de desânimo, queixa e reclamação, estarei me ligando a todas as demais pessoas do mundo que transitam na mesma freqüência, da mesma forma que elas também se ligarão comigo. Houve uma dupla sintonia. Isso quer dizer que me envolvi num campo energético negativo, mantido por centenas de pessoas que estão respirando no mesmo clima mental que o meu. É como se estivesse preso a uma rede de pessoas queixosas e desanimadas. E já podemos perceber o quanto isso nos prejudica.

No fundo, ninguém está sozinho, sempre estaremos acompanhados dos que transitam na mesma faixa das nossas cogitações. O Espírito Marco Prisco nos oferece preciosos exemplos: "Acompanhe a mentira em breve jornada e você encontrará mentirosos em todos os lugares. Procure um erro e você tropeçará em múltiplos crimes. Sintonize com a falsidade e você se cercará de ficções enganosas. Valorize com muito respeito a calúnia e o seu caminho surgirá cheio de acusadores indébitos. Reporte-se à dificuldade e obstáculos surgirão em volta. Tente encontrar um culpado, e diversos sicários virão a você"[*].

Para sair desse estado, é preciso mudar a freqüência, como você muda o canal de televisão ou de estação de rádio. Cada um está no mundo que criou para si mesmo.

---

[*] FRANCO, Divaldo Pereira. *Ementário espírita*. Salvador: Leal, p. 115 (N.A.).

Cada um respira no clima de suas próprias criações. Se você fixar as idéias na doença, as ondas mentais buscarão aproximação com as almas enfermas do planeta, encarnadas e desencarnadas, e será muito difícil você não se sentir doente. Se você se julga fracassado, produzirá uma energia correspondente que se ligará aos que estagiam na mesma faixa de sentimento, um alimentando o outro, um "dando força" ao outro. E você, em que sintonia anda? Em qual freqüência você está vivendo? Pense bem a respeito e procure melhorar a sua faixa de pensamentos. Para tanto, é preciso pensar no bem, falar no bem e agir no bem. Só o bem é bom. Só o bem faz bem.

Sintonizando com o amor universal,
recebo paz, saúde e alegria.

Prece do fim do dia

Encerramos nosso livro com este capítulo. Falo nosso porque as idéias aqui apresentadas não são apenas minhas. Partilhei com todos as sempre oportunas reflexões do Espírito Joanna de Ângelis, bem como de outros companheiros espirituais que me trouxeram a inspiração em vários momentos deste singelo livro. Às vezes, tinha a impressão de que os espíritos me traziam pequenas lembranças, como se fossem recados amorosos aos seus tutelados que se acham encarnados. Notava em todos eles um amor incondicional por nós, por isso, creio que se este livro chegou às suas mãos é porque ele deve ter algo importante para você. Poderia dizer que este livro é uma obra coletiva, fruto do sincero desejo de muitas almas em cooperar, ainda que modestamente, pela sua felicidade.

José Carlos De Lucca

A vida é a sucessão dos dias e uma vida feliz depende de dias felizes. Você pode ter encontrado nestas páginas novas idéias ou conceitos já conhecidos. Mas não é isso que importa. Observando as pessoas felizes, que necessariamente não são as pessoas sem problemas, notei que elas são pessoas realizadoras, pessoas de ação. Não adianta achar o livro bom, com boas idéias, se não experimentarmos as sugestões apresentadas. Não me considero um escritor, não escrevo para fazer literatura. Escrevo para me ajudar e o faço buscando ajudar as pessoas. Tudo o que escrevi é minha lição de casa. Muita coisa já venho colocando em prática e posso afirmar que este livro já valeu a pena ser escrito por ter me ajudado a ser uma pessoa mais feliz. Não sei tudo, tenho ainda muitas dificuldades a superar, mas sinto, na prática, que as idéias de Jesus são um valioso roteiro que nos conduzirá à tão sonhada felicidade.

E agora, ao fim do dia, dou-me conta do quanto realizei, do quanto cresci, e do quanto ainda me resta a fazer. Mas já é tarde, preciso dormir, vou me jogar nos braços de Deus e dizer a Ele o quanto lhe sou agradecido por tudo o que tenho e por tudo o que sou. Muito obrigado, Senhor, receba este livro como demonstração da minha gratidão. Que ele caia nas mãos dos meus irmãos de caminhada e ilumine os passos de cada um, tanto quanto iluminou os meus. E, amanhã, Pai querido, quando me levantar, ajude-me a aproveitar as horas e os minutos do dia, como se fosse o melhor presente da minha vida.

Boa noite, Senhor, abençoe a todos nós.

Ao terminar a leitura deste livro, talvez você tenha ficado com algumas dúvidas e perguntas a fazer, o que é um bom sinal. Sinal de que está em busca de explicações para a vida. Todas as respostas que você precisa estão nas Obras Básicas de Allan Kardec.

Referências bibliográficas das obras do Espírito Joanna de Ângelis[*]

[1] *Vida feliz*, 9. ed. Salvador: Leal, 1999. p. 56.
[2] *Episódios diários*, 5. ed. Salvador: Leal, 1997. p. 32.
[3] *Nascente de bênçãos*, 1. ed. Salvador: Leal, 2001. p. 16.
[4] *Vida feliz*, 9. ed. Salvador: Leal, 1999. p. 63.
[5] *Filho de Deus*, 3. ed. Salvador: Leal, 1994. p. 85.
[6] *Otimismo*, 5. ed. Salvador: Leal, 1995. p. 85.
[7] *Plenitude*, 6. ed. Salvador: Leal, 1997. p. 86.
[8] *Momentos de felicidade*, 2. ed. Salvador: Leal, 1996. p. 40.
[9] *Autodescobrimento: uma busca interior*, 2. ed. Salvador: Leal, 1996. p. 80.
[10] *Amor, imbatível amor*, 6. ed. Salvador: Leal, 2000. p. 96.
[11] *Episódios diários*, 5. ed. Salvador: Leal, 1997. p. 23.
[12] *Vida feliz*, 9. ed. Salvador: Leal, 1999. p. 37.
[13] *Episódios diários*, 5. ed. Salvador: Leal, 1997. p. 29-30.
[14] *Episódios diários*, 5. ed. Salvador: Leal, 1997. p. 30.
[15] *Momentos de saúde*, 3. ed. Salvador: Leal, 1998. p. 45-47.
[16] *Vida: desafios e soluções*, 5. ed. Salvador: Leal, 2000. p. 19.
[17] *Momentos enriquecedores*, 1. ed. Salvador: Leal, 1994. p. 38.
[18] *O despertar do espírito*, 1. ed. Salvador: Leal, 2000. p. 195.
[19] *Leis morais da vida*, 9. ed. Salvador: Leal, 1999. p. 104.
[20] *Filho de Deus*, 3. ed. Salvador: Leal, 1994. p. 21.
[21] *Plenitude*, 6. ed. Salvador: Leal, 1997. p. 75.

---

[*] Todas psicografadas pelo médium Divaldo Pereira Franco (N.A.).

22 *Momentos de esperança*, 2. ed. Salvador: Leal, 1988. p. 90.
23 *Vida feliz*, 2. ed. Salvador: Leal, 1999. p. 112.
24 *O homem integral*, 1. ed. Salvador: Leal, p. 18-20.
25 *Filho de Deus*, 3. ed. Salvador: Leal, 1994. p. 36.
26 *Amor, imbatível amor*, 1. ed. Salvador: Leal, 1998. p. 91-92
27 *Messe de amor*, 7. ed. Salvador: Leal, 2001, p. 59.
28 Ibid.
29 *Momentos de felicidade*, 2. ed. Salvador: Leal, 1996. p. 119.
30 *Episódios diários*, 5. ed. Salvador: Leal, 1997. p. 92.
31 *Jesus e atualidade*, 10. ed. São Paulo: Pensamento, 1995. p. 51.
32 *Momentos de esperança*, 2. ed. Salvador: Leal, 1988. p. 61.
33 *Momentos de esperança*, 2. ed. Salvador: Leal, 1988. p. 62.
34 *Após a tempestade*, 9. ed. Salvador: Leal, 2000. p. 89.
35 *Momentos de felicidade*, 2. ed. Salvador: Leal, 1996. p. 38.
36 *Alerta*, 4. ed. Salvador: Leal, 1999. p. 103-104.
37 *Vida feliz*, 9. ed. Salvador: Leal, 1999. p. 106.
38 *Plenitude*, 6. ed. Salvador: Leal, 1997. p. 109.
39 *O despertar do espírito*, 1. ed. Salvador: Leal, 2000. p. 167-168.
40 *Autodescobrimento*, 2. ed. Salvador: Leal, 1996. p. 53-54.
41 *Amor, imbatível amor*, 1. ed. Salvador: Leal, 1998. p. 248-252.
42 *Jesus e atualidade*, 2. ed. Salvador: Leal, 1988. p. 69.
43 *Jesus e o Evangelho: à luz da psicologia profunda*, 1. ed. Salvador: Leal, 2000. p. 9.
44 *Vigilância*, 1. ed. Salvador: Leal, 1987. p. 32.
45 *Momentos de iluminação*, 2. ed. Salvador: Leal, 1996. p. 33.
46 *Momentos de iluminação*, 2. ed. Salvador: Leal, 1996. p. 34.
47 *Vida feliz*, 9. ed. Salvador: Leal, 1999. p. 79.
48 *Espírito e vida*, 5. ed. Salvador: Leal, 1991. p. 101.
49 *Nascente de bênçãos*, 1. ed. Salvador: Leal, 2001. p. 33.

FORÇA ESPIRITUAL
JOSÉ CARLOS DE LUCCA

Autoajuda | 16x23 cm | 160 páginas

Todos nós merecemos ser felizes! E o primeiro passo para isso é descobrir por que estamos sofrendo. Seja qual for o seu caso, entenda que os males não acontecem por acaso... Neste livro – do mesmo autor do best-seller Sem medo de ser feliz – encontramos sugestões práticas para despertar a força espiritual que necessitamos para enfrentar e vencer nossas dificuldades.
Leitura interativa, esclarece as dúvidas mais frequentes daqueles que desejam transformar seu destino – mas não sabem por onde começar. Agora, com a ajuda deste livro, ser feliz só depende de sua transformação...

www.boanova.net

www.facebook.com/boanovaed

www.instagram.com/boanovaed

www.youtube.com/boanovaeditora

petit editora

Entre em contato com nossos consultores e confira as condições
Catanduva-SP 17 3531.4444 | boanova@boanova.net

Levamos o livro espírita cada vez mais longe!

boanova editora

petit editora

📍 Av. Porto Ferreira, 1031 | Parque Iracema
CEP 15809-020 | Catanduva-SP

🌐 www.**petit**.com.br
www.**boanova**.net

✉ petit@petit.com.br
boanova@boanova.net

📞 17 3531.4444

💬 17 99257.5523

Siga-nos em nossas redes sociais.

@boanovaed

boanovaeditora

CURTA, COMENTE, COMPARTILHE E SALVE.
utilize #boanovaeditora

Acesse nossa loja

Fale pelo whatsapp